JN050681

書く人はここで躓く！

作家が明かす
小説の「作り方」

宮原昭夫 著
Miyahara Akio

河出書房新社

● 書く人はここで躓く！ ● 目次

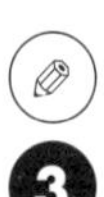

3 十作って一書け

4 ストーリーかヒーローか

書く人はここで躓く！

作家が明かす小説の「作り方」

まえがき

つねづね私が、惜しいな、と思うのは、文章力はある、感性もいい、いい素材も持っている……それなのに小説というものについての基本的な勘違いがあるためにもう一息のところで伸び悩んでいる——そういうケースが私の周囲にも意外に多い、ということです。

例えば、手記、エッセイ、随筆、自分史などで習練も積み、適切な指導者にも恵まれ、サークル内でも力量を認められているような書き手が、もっと自分のジャンルを広げたいという意欲に燃えて小説に手を染めてみた——といったような場合が、実はかえってうまく行かないことが多いようです。つまり小説とそれ以外の文章との間には決定的な違いがあるのが理解できていないのです。他のジャンルでの力量が、かえってジャンルの間の壁を越えにくくしているのかもしれません。そんな方にほんのちょっとでも小説作りの基本を助言できたら、というのが本書の狙いです。

若い頃は——自分の仕事は書くことであって読むことではない——などと意気がって、賞の選者を断ったこともあった私が、気が付いてみたらいつのまにか、他人の原稿を読む仕事に忙殺されるようになっていました。雑誌や新聞や自治体の文学賞の応募作の選考、創作講座提出作の講評、通信添削批評の担当その他……この十年ばかりの間、「小説を書きたい」方々の原稿をどのくらい読んだことでしょう。

意外なことにそれが私にはとても勉強になりました。失礼な言い方になりますが、下手な作品ほどかえって良い教材になりました。自分の作品では気が付かないことが他人の作品ではよく見極められます。他人の作品の欠陥から自分の作品の欠陥があぶり出されて来るのです。それが自分の創作のためにどんなに参考になったかわかりません。

人の作品を講評したり添削したりするのは、その作品と作者に私が責任を負わされることでもありますから、私は、そういう欠陥がどうして起きるのか、どうしたらそれが克服出来るのか、真剣に考えざるを得なくなりました。そしてそれを作者にきちんと納得させるためには、こちらも「理論武装」しなければなりません。

この本は、そういった私の実践的な見聞の中で、発見したことを整理してまとめたものです。ですから内容は、実際に小説を書く上での具体的な問題が中心になっています。

しかも私は、そうした作品の書き手に、私の真意を理解して頂かなければなりませんでしたので、出来るだけわかりやすくするために、いきおい「譬え話」と「実例」と「対比」を連発することになりました。それが気に障る読者も居られるかもしれませんが、そういった本書の成立の事情をご理解下さい。

1

ファーストシーンは後に書け

シーンと配列

シーンの「描き方」

■「シーン」が小説の「細胞」

すべての生命体は細胞が集まって形作られています。同じように、小説にとって細胞にあたるもの、つまり小説を形作る最小の単位は「**シーン**」だと思います。

シーンとは、ある特定の時に特定の場所で特定の人物たちの間に引き起こされる一まとまりの出来事、ととりあえず定義しておきましょう。つまり「いつ、どこで、だれが、どうした」を具体的に描写した、それ以上は分けられない一場面、ということです。それは場合によっては「二人が街頭で出逢(であ)ってから争いが起きて一人が殺されるまで」であったり「ある人物がエレベーターに乗って、上の階に着き、降りるまで」であったり、大小長短さまざまです。小説とは、そういったシーンが一つまたは幾つか組み合わされて出来上がっています。

言い換えれば、**小説の書き方とは、シーンの「描き方」と、それらのシーンの「並べ方」のことだ、**と言えます。

試みに、あなたがこれまでに書き上げた小説の一つを、原稿用紙の上に境界線を引いて、それぞれのシーンに分けてみて下さい。すると、本来は二つのシーンのはずなのにはっきりそれが作者に意識されていなかったためにその境界が曖昧で、境界線を引きにくい箇所とか、ちゃんとしたシーンにせずに粗筋説明的にはしょってしまった箇所とか、互いのシーンの間に当然なければならないもう一つのシーンが欠落している箇所とか、あるいは、シーン同士の配列の順番が不適当である箇所とか、いろいろな不備が発見されるはずです。

こうした作業のメリットはそういった不備の発見だけではありません。その作品を構想したり執筆したりしている時には念頭に浮かばなかったシーンが、作品配列上必要だと判明し、改めてそのシーンを作り上げることで、作者にも思いがけない発見があったりします。また、シーン相互の関係を改めて見直すことで、初めの構想とは違うシーンの配列のしかたも有り得るのに気付き、そうすることで当初の構想と違う、もっと興味深い物語の展開が思い浮かんだりすることもあります。

なによりもいいのは、作者がなんとなく思い描いていた物語の進行のある部分が、そのようにシーン分けされることによって、いやおうなしに特定の時に特定の場所で特定の人物の間に起こる出来事として作者によってはっきり意識されることです。この世の中で実際に起こることは、どんなに些細(ささい)なことでもすべて「特定な」時間空間の中で起こるのです。書く書かないは別にして、作者の中では、作中の出来事はすべて、どんな些細なことでも特定の時と所で起きたこととして捉えられている必要があるのです。

■「説明」と「描写」

小説の中で、例えば「美しい花」と書いたとします。これは**説明**です。その花に対しては、美しい、という見方しかしてはいけないということです。それに対して「紫色の小さな花」と書けば、これは**描写**ですね。これならば、ある人にとっては美しい花かもしれないが、別の人には地味な目立たない花かもしれない。人によっては気に障る嫌な花である場合もあるでしょう。それは、それぞれの読者の感受性や個性や、その時の気分によって違ってきます。

小説を「描写」によって書けば、読む人それぞれにさまざまな読み方をしてもらえる可能性が生まれます。つまり作品の持つ幅や厚みがぐっと増すわけです。同じ読者でも、何度読んでもその時々の境遇や気分によって微妙に違う読み方が可能になります。

ところが、たとえば「美しい花」と説明してしまったら、何百回その文章を読み返したって「美しい花」というたった一通りの読み方しか出来ません。これが「**説明**」**というものの弱みと**「**描写**」**というものの強み**の違いなんですね。

読書は「演奏」

「読書は、音楽に譬えれば、演奏だ」とは作家の小沢信男の名言ですが、普通だったら「読書を音楽に譬えればレコード鑑賞だ」とでも言うところでしょう。ところがそうじゃないというわけです。小説の文章は演奏にあたるのではなく、楽譜にあたるのだというのです。読む人は、文章という形の楽譜を読み取りながら、頭の中でストーリーを演奏して行くのだと。なるほどな、と思いました。

ところで演奏というものは、楽譜が同じでも演奏者によって微妙に違ってきます。ヘブラー演奏のモーツァルトのピアノソナタとブーニンのそれとは、同じ曲でも違ってくる。小説というものもそれと同じで、同じ作品でも読者によって違ってくるものだと思います。

良い曲というものは、色々な演奏家がそれぞれに違った良さを引き出せるような曲なのではないでしょうか。彫刻でも、優れたヌードは例えば前からみると顔が清純、横からみたら胸の線が優雅、後ろからみたらお尻の量感が豊饒(ほうじょう)……といったふうに、見る角度によって違う多様な魅力が発見出来ます。良い小説も、それぞれの読者がそれぞれに違う魅力を発見出来るだけでなく、同じ一人の読者でも、初め読んだ時と再読した時とでは別の良さが見いだされたり、年取ってからまた読んだら若い時に気付かなかった魅力が見えてきたりする。いわゆる古典と呼ばれる名作は大抵そうですね。

ですから、小説を、何がなんでもある一つの読み方しかしちゃいけない、ということになったら、それは演奏に譬えれば、ヘブラーのモーツァルトしか認めない、ブーニンではダメだ、と言うようなものですね。

ところが往々にして、小説の作者というものは、自分の小説はカクカクシカジカのように読まなければいけない、と言わんばかりに、作品の中で説明を加えたり、後書きで断ったりします。かく言う私もそれをやったことがありますが、それはいわば音楽だったら作曲者以外は演奏してはいけない、と言っているのと同じですよね。それはやはり狭く偏(かたよ)った小説の書き方なのではないでしょうか。

そして、読者それぞれがそれぞれに演奏出来るように小説を書く方法――つまり**楽譜のように小説を書くための方法が、前項に述べた「描写」**なのです。

■描写の「視点」

小説をシーンに分けて描くには、そのシーンが何処(どこ)から誰によって見られている形で描写されているか、ということが当然問題になってきます。それは、出来事を世間話ふうに説明したり粗筋を要約したりする時には必要がなく、べつに意識しなくても差し支えないのですが、それを「シーン」に分けて「描写」で書こうとするとどうしても意識せざるを得ない。それは、劇映画を作る場合、カメラの位置を考えないわけにはいかないのと同じです。

　初心者の作品でいちばん一般的なのは、「主人公の視点」から終始一貫して描くもので、これは主人公を筆者に置き換えれば、そのまま手記や随筆の書き方と同じなので、いちばん取っ付き易くまた破綻も少ない手法です。しかし、この書き方だと筆者と主人公との距離が取りにくく、特に主人公が筆者をモデルにしている場合は、手記と小説との区別を筆者自身がつけにくく、ややもすれば両者を混同しながら書いてしまうことになります。それについては再述するつもりですが、この書き方では特にその点に留意すべきでしょう。

　初心者にありがちなもう一つの場合は、作中のすべての登場人物の視点を筆者が恣意に任せて次々に選び、従って作中で視点がやたらにあちこちに移動するものです。その中には作中のどの登場人物にも当てはまらない視点もあったりします。

　例えばある通信講座で私が添削批評を担当した作品の一つにこんな一節がありました。

　康一は姪の章子の青白くやつれた頬に目をやりながら、自分はどうしてもっと早く彼女のもとを訪れてやらなかったのか、と悔やんでいた。章子はそんな彼の視線を痛いほど意識しながら、なんとか元気そうな表情を浮かべようと努めた。みなしごとなった自分をここまで育て上げ、嫁入りまでさせてくれた伯父に、これ以上心配をかけたくないと思った。

足音が階段を降りて来て、廊下を通りかかった。

〔……〕

本多は驚いて障子をもっと開け、茶の間に踏み込んで来た。大学の法学部に通う彼は、まだ章子が伯父のもとに身を寄せていた頃から既にこの二階に下宿していた。

座卓の向い側に座り込んだ彼に、康一は事情を説明し始めた。それに耳を傾けながら本多は、目の前の骸骨のようにやせ細った章子の横顔に目をやって、独身時代の、どこか寂しげだが初々しく可憐だった彼女を思い出して、胸の痛む思いがした。

この一節にも見られるように、定年間近の男やもめの工場労働者康一と孤児の姪章子をめぐるこの物語は、康一の視点から描かれたり、相手の章子の視点になったり、下宿人の青年本多が顔を出せばたちまち彼の視点に移ったりします。以後も、視点はあちこちに転移し、甚（はなは）だしい時には一行の文章のなかに二つの視点が混ざり合ったりします。

私が描写の視点について指摘すると、「どうして視点を変えてはいけないのか」という質問がよく返ってきます。

それに対しては私は「いけないことはない、原則的には作中で描写の視点を変えても構わない」と答えることにしています。ただし「作者が十分意識し計算した上でなら」という注釈付きでです。

ご自分で小説を読まれる時のことを考えていただければわかると思いますが、例えば前述の作品の場合、シーンが康一の視点で描写されていれば、読者というものは、知らず知らずのうちに康一に成り代わってそのシーンを捉えています。そして描写が章子の視点に変われば、こんどは無意識に彼女の身になって捉えます。これは、舞台の上で康一を演じていた俳優が、急に章子の役に早替わりするのと同じです。

俳優が一人で何役もこなすことは、べつに不可能ではありません。しかし、彼が康一一人を演じるよりも章子と二役を演じるほうが負担が増えるのは確かでしょう。いわんやその二役が目まぐるしく何度も入れ替わったり、その合間には第三の人物にも成り代わったりしたら、しかもそれが作者の緻密(ちみつ)な計算の上ではなく、その場その場の作者の気分や都合でやらされるとしたら、俳優の身になればたまったものではありません。小説の読者の場合でも同じことが言えるのです。

つまり、小説の中で描写の視点を変えるのは、読者にそれなりの負担を掛ける、ということです。ですから、どうしても必要ならやっても構わないが、やる場合は、必要かどうか、他には方法がないか、よく検討してみてからにすべきだ、ということです。読者の負担を考えれば、なるべく変えない方がいいし、また、大抵の場合、作者の描きたいことは、視点を変えなくてもなんとか描けるものです。

安易に視点を変えることで作品をつまらなくしてしまうことだってあります。手品の場合に譬えてみれば、手品は観客席から観るから不思議で面白いのであって、手品師の後ろから観たらトリックが丸見えになって面白くもなんともないでしょう。小説の場合でも、例えば恋の駆け引きを、双方の心理や意図がそれぞれの視点から描かれていて、どちらも読者に見えていたら、主人公の感じているスリルや不安は読者には伝わりません。もちろんそれを承知で、それを目的にして双方の手のうちを読者にさらけ出す手法も有り得るわけで、まさにケースバイケースなのですが、ともあれ、どんな場合でも、視点を変える時は、作者が十分に意識し計算した上で行って下さい。

シーンの「配列」

■「暗算」と「筆算」

ラストシーンさえ思い付けば小説は出来上がったも同じ、という言葉を聞くことがあります。たしかに、そういった書き方もあるでしょう。推理小説的な作品は、結末が先に出来ていなければ書けません。全体のストーリーを綿密に完成させてからでなければ書き始めることは出来ないでしょう。しかしそれが小説の唯一の書き方でしょうか。

ところで、例えば二桁同士の数字の掛け算を暗算で出来る人はめったにいませんが、筆算でなら大抵の人が苦もなく出来るでしょう。暗算では出来ないことが出来るのが筆算の長所です。仮に、暗算で出来た計算を、ただ清書するだけのためにもう一度筆算し直すとしたら、それは随分もったいない計算の仕方です。

頭の中で**小説を作るのが暗算だとしたら、実際に紙の上に小説を書くのは筆算**にあたるでしょう。推理小説的な書き方は、いわばすべてを暗算で計算し終えてから、その結果を筆算で清書するようなものです。ソラで小説を考えるより、紙に書いて考えるほうが、深く考えることができるのは、暗算と筆算の場合と同じです。頭の中で全部小説を完成させてから、紙に書き始めるより、もっと有効な書き方はないものでしょうか。

■「思い付く順」と「書く順」

小説の冒頭というものは、その小説にとってたいへんに重要であり、それだけにたいへんに難しい。ところで大抵の場合、書き始めは、すぐには調子が出ず、筆がスムーズに進まないものです。ゴルフでもファーストホールのティーショットは、なかなかナイスショットが出ないのと同じようなものでしょう。したがって、小説というものは最初から順番に書かねばならぬもの、と決め込んでいると、いちばん大事でいちばん難しい部分を、いちばんコンディションの悪い状態で書かねばならぬ羽目になります。

　そこで私は、小説を書く場合は、ストーリーの順番は無視して、自分のいちばん書きたいシーンや、いちばん先に思い付いたシーンから先に、アトランダムに書き始めてしまうことにしています。そうやって次第に各シーンが書き溜(た)まってゆくうちに、登場人物同士の、最初は作者も気が付かなかった人間関係が新たに浮かび上がって来たり、作中人物が作者でさえ思いもかけなかったような言動を見せたり、またそれによって新しいシーンが生まれたりして、書いている者にも面白い。つまり、最初の暗算では思い付かなかったような、もっと深く、もっと正しい答えが、筆算によって出て来たりする……ということでしょうか。

■「書く順」と「読ませる順」

思い付いた順に書けば、その順番のままで小説になる、というわけではありません。書いてから、それぞれのシーンの順番を並べ換えるのです。作者が書いた順番を、読者に読ませる順番に並べ直すわけです。

どの程度まで書き溜めてから並べ直すか、ということは、後に再び触れたいと思います。

ここで大切なことは、並べ直すのが、読者のためばかりではない、ということです。アトランダムに思い付いた順に書いて行ったシーンを、最も相応しい順に並べ換えるという作業によって、前にもちょっと触れたように、Aシーンと Bシーンとの間に、もう一つシーンを補わないとつながらない、といったようなことが発見されて、当初作者の頭にはなかった場面が思いがけず生まれてきたりします。また、CシーンとDシーンの順序を逆にしてみたことで、作者が初め予想もしなかった方向へストーリーが展開しだすこともあります。

つまり、作者が自分だけの思考の中で作り出していた作品が、読者の身になって並べ直されることによって、別の視点から見直され、新しい発想や新しい可能性が発見されて行く、ということでしょう。これもまた、暗算によっては果たせなかった計算が、筆算によってもっと先までやれた、ということにも似てくるのでしょうか。

ただ、付言しなければならないのは、**シーンを並べ換えるのは創作の終わりではなく、ある程度まで書き溜めたところで始める、**という点です。本番はこれからです。これもまた後述したいと思います。

ただし、こうした書き方では、この節の冒頭に触れたような、最初に結末が出来ていて、そこに向かって小説を書いて行く、というやり方は出来ません。むしろ、初めに想定しておいた結末の方角へどうしても話が進んで行ってくれず、せっかくのラストシーンを削除しなければならなくなったり、自分の小説がどんな終わり方をするのか、作者自身にさえ書き終えてみないとわからない、といった事態が、ごく普通の現象になってきます。しかし、あえて言うならば、だからこそ小説を書くのは作者にとっても面白いのであって、もし書き始める前にすべてが決まってしまっていたのなら、書くこと自体はただの清書になり、面白くもなんともない労働になってしまうのではないでしょうか。

蛇足(だそく)ですが、並べ直し、というのは口で言うほど易しいことではありません。人によっては、最初から順番に書いてゆくと、それに思いのほか強く囚(とら)われてしまう。最初自分が書いた各シーンを、完全にバラバラに解体して全く新しく並べ直すことが出来る人は、よほど自由で柔軟な精神の持ち主と言えるでしょう。

■「読ませる順」と「世間話の順」

ここで私が提起しているのは、つまり、**「思い付いた順と書く順とは同じでよいが、読ませる順はそれとは違う」**ということなのです。

文章力もシーンづくりも上手(うま)いのに、「思い付く順」と「読ませる順」とを同一視している方が、意外に多いことに気付きます。私はそれを「世間話の順」と呼んでいます。

世間話というものは、例えば「昨日、お昼ごろ急に雨が降ってきたでしょ。あの時美容院に行ってたんだけど、布団を干したまんまだったんで、あわてちゃった。布団って言えば、角の××屋さんで今週いっぱい羽根布団のディスカウントやってるわよ。あそこの奥さん、二人目なんですってね。高校生の娘さんがいるでしょ。あれ、前の奥さんの子なんですって。あの娘さんも来年受験だそうで、大変ね。そうそう、受験って言えば、ウチの人の妹の子がね……」といった調子に、思い付いた順にそのまま話が次々に移って行くものです。小説でも、それぞれは興味深かったり感動的だったり重要だったりするシーンなのに、世間話と同じような順序で書かれているおかげで、全体的にはとりとめが無くなっている場合がありま す。この場合は、思い付く順と書く順と読ませる順の三つが、みんな同じ、ということになります。前衛的な小説に、意識的にこういう構成を採った作品もありますが、普通の小説を書く場合には、「世間話の順」は避けた方がよい。

■「読ませる順」と「論理の順」

ところで、世間話の順から、読ませる順に並べ換えろ、と言うと、往々にしてそれを、シーンの配列を**論理的展開の順**に並べ換えることだと解釈してしまう方がいます。しかし、それは**小説的展開の順**とは違います。

その説明には、推理小説の例を挙げればわかりやすいかもしれません。Aがこれこれの動機で、Bを殺し、Cに罪を着せるために、これこれのトリックを用いたが、Dがこれこれに気付き、こういう風に推理して、そのトリックを見破った……というのが、論理的展開というものでしょう。しかし、これでは論理的には正しいが、推理小説にはなりません。

推理小説に限らず、例えば、夫が浮気をして朝帰りをして、こっそり台所口から入ろうとしたら、たまたま妻がそこでオカズを作っていて、ぱったり顔を合わせ、口論になり、夫が妻を殴(なぐ)ったので、妻が逆上して、マナイタの上にあった包丁で夫を刺した……といった話を、もしもこの順序で書いたとしたら、読者は最初おそらく、赤の他人の朝帰りにも、夫婦喧嘩(げんか)にも、たいした興味は持てないに違いありません。やっと、妻が夫を刺した、というくだりまで来て、初めて読者がいささかの興味を示した頃には、話はもう終わってしまっています。こんな短い単純な話ならいざ知らず、これが長い小説だったら、肝心な部分にたどり着くずっと前に読者は読むのを止めてしまうでしょう。

これが、もし……妻が夫を刺した……というシーンから始まったとしたら、恐らく読者は最初から――えっ、どうして？　――となにかしら興味を持つでしょう。……手元に包丁があったから、……妻がオカズを作っていたところへ、夫がこっそり台所口から入って来たから……浮気して朝帰りしたので夫婦喧嘩になって夫が殴ったから……とでもいった順序の方が、まだしも小説の順序としてはマシと言えるでしょう。

こんな他愛のない話ではあまり参考になりませんが、しかし、皆様の実作を拝見していると、なにからなにまでよく考え抜かれてあって、すべて納得がゆくように書かれてあるし、興味深い内容なのだが、それでいて読んでいて――はい、わかりました――という感じで、そしてそれだけ、という作品が、実際にはよくあるのです。こういうのを、勘定(かんじょう)合って銭足らず、というのだそうですが、これは、論理の順を小説の順と勘違いしている例ではないでしょうか。そして、それは、むしろ頭のいい作者の作品によく見受けられるようです。

小説というものはわからせるために書くのではありません。わからせるために書くのは「解説書」でしょう。小説は解説書ではありません。**小説は感じさせ、味わわせるために書く**のです。よくわかるけどそれだけ、という作品よりも、よくわからないけどなんだか感銘深い、という作品の方が小説としては上等なのは言うまでもありません。

2

時間芸術

小説の構造

曲がり角

人生には、昨日も今日も明日もそうたいして変わらぬ、いわば真っ直ぐの道のような時期と、そこを境にして生き方の方向の変わる、曲がり角のような時期とがあると思います。

小説を書く場合、人生の真っ直ぐの道にあたる時期をいかに鮮やかに捉え、いかに巧みに描いたとしても、それは小説にはならず、エピソードやスケッチの域にとどまってしまうでしょう。小説にならないだけでなく、もしも小説の冒頭と結末の間に主人公がなに一つ変わっていなかったとしたら、そもそも、その小説を書いた意味がないのではないでしょうか。

「国境の長いトンネルを抜けると雪国であった。」という川端康成のよく知られた文章がありますが、小説とは、比喩的に言えば、国境にあるトンネルのようなものだ、と言えそうです。小説というトンネルを抜けることでなにかが変わる。抜ける前と後とでは違う景色が広がっている。黒土の世界から銀世界へと変わる。それは常に目に見える変化である必要はなく、内的なものであっても、また一見目に止まりにくい微妙なものであってもいい。しかし、変化の大小、内面外面を問わず、小説というものは人生のなにかしらの曲がり角を捉えて描くものだと思います。

「設定」「展開」「新局面」

これから申し上げる話の前提として、次のことを予め確認しておきたいと思います。つまり、「**小説とは一種の時間芸術で『設定』から『新局面』までの時間的『展開』の中で、主人公その他の人間像と、人間関係を描き出しつつ、それが変質して行く軌跡を捉えるものだ**」ということです。

この場合、「**設定**」とは、ストーリーのことではありません。いわばストーリーの発端のことで、その小説に出てくる主要人物たちの「人間像」や「人間関係」やそれぞれの置かれている「状況」などです。そして、そうした設定の中に仕込まれていた要因から、必然的に起こる人間関係の変化の過程が「**展開**」で、その変化によって人物たちの間に生まれた今までと違う人間関係を「**新局面**」と私は呼んでいます。

小説づくりを一つの実験になぞらえれば、設定とは、実験室に幾つかの試薬や器具や容器を取り揃えることにあたるでしょう。試薬を容器の中で混ぜ合わせ、適当な器具を用いて化学変化を起こさせた場合の、その刻々の変化の過程が、小説の「展開」にあたります。そしてその結果容器のなかに形成された新しい物質が「新局面」ということになります。

もっと具体的に、極端に単純な例をあげますと、ご存じの「ウサギとカメ」の童話では、ウサギとカメが登場し、ウサギがカメの鈍足を嘲笑し、カメが競走を挑むところまでが「設定」にあたるでしょう。そして、競走が始まり、ウサギが油断して途中で一休みして眠り込み、カメはたゆみなく歩き続ける、というのが「展開」です。その結果、競争はカメの勝利に終わり、両者の力関係は逆転する、というのが「新局面」です。

こう書けばこの区別は至って簡単のようにみえますが、しかし実際の創作にあたっては、それほど単純ではありません。そのせいか、この問題を誤解している作者が意外に多いように見受けられます。その実例を二、三取り上げてみましょう。

■「設定」だけでは「小説」ではない

小説をつくるということは「人間像」や「人間関係」や「状況」を設定することだ、と思い違いをしている人がいます。優れた素質の持ち主や研鑽(けんさん)を積んだ書き手の中にも、往々にしてこうした思い違いが潜(ひそ)んでいるようです。設定はもちろん小説には必要不可欠ですが、しかしそれは小説の出発点に過ぎず、小説そのものではないのです。また、そんなことはよくわかっているつもりの書き手でも、作者自身には自分の小説のどこまでが設定で、どこからが展開かということは、意外と把握しにくいことなのかもしれません。

まえがきにも記した添削批評に提出された作品の一つに「瓶の中」という小説がありますが、それは「設定」の部分がたいへんよく出来ています。閉山間際の炭住街で、合理化の先頭に立つ所長宅の中学生の娘が主人公なのですが、彼女は父と継母との三人暮らし、実の母が同じ炭住街に住む——という設定は、ヒロイン一家と街の住民との屈折した緊張関係、また離婚後も同じ町に住み続ける実母と毎日のように顔を合わせながら継母と暮らす娘の屈折や気遣いも含め、舞台といい、人間関係といい、十分過ぎるくらいのドラマ性、つまり葛藤のモメントを備えています。

利発で感性豊かでシニカルな観察眼を持ちながら猫をかぶって、町の住民には「所長さんの可哀そうなお嬢さん」を、実母には「母思いの娘」を、継母には「素直な継娘」を演じているヒロイン。おおらかなのか図太いのか得体の知れない実の母。ヒステリックなのに良い妻良い母を演じようとする継母。それぞれよく描かれていますし、父もその酔態に立場上の苦渋が示されて、それぞれの人間像の造型も見事です。

各シーンも的確で感覚的な描写によって鮮明に描かれ、何処かに笑いを潜めたクールな文章も悪くない。

この小説は大きく分ければ二つの部分で成り立っています。その第一部分がこの作品の大部分を成しているのですが、それは、「ある一日」——蛇を捕えて瓶の中で殺す男をヒロインが目撃し（この男はただの点景にすぎないのですが、このシーンは、瓶の中のように閉塞し行き詰った炭住街のメタファーになっています）、実母の家に寄り、帰宅し、継母と共に父の客の接待をする——によって占められています。第二の部分は、一家が「町を去る日の駅」の一シーンのみです。そこには、閉山つまり首切りの役割をなしとげて別の土地に転勤して行く所長の一家と、それを見送る関係者や町の大人や少年少女たちの、それぞれの反応や思いが、上手く描き分けられています。

そのうちの第一部分「ある一日」には、どういう「状況」でどういう「人物たち」がどういう「人間関係」にあるかを手際良く面白くかつ鋭く的確に描き出されていて、並々ならぬ手腕が感じられます。つまりこれは「設定」の部分に当たるのです。各場面がたいへんよく書かれており、読んでも面白いので、印象としては、これだけでもう小説を読んだという気分になってしまうほどですが、しかし、この作品としては、これは、「設定」の段階なのです。

小説というものの肝心なところは、その「設定」がどう「展開」して、どういう「新局面」を迎えるか、なのです。しかしこの作品は、素晴らしい設定を素晴らしく描いた後で、これだけ綿密に見事につくりあげた「瓶の中」をあっさり見捨てて、別の場所へと去って行くシーンで終わっているのです。なんというもったいない無駄遣いでしょう。

前述の実験の譬えに則して言えば、この小説は、せっかく実験のすべての条件を整え終えたとたんに、その実験室を放棄して、文字通り引っ越しをしてしまいました。

この小説の「設定」の中には、ダイナミックにドラマが展開するたくさんの可能性が含まれています。興味深い化学反応が起こりそうな可能性が沢山(たくさん)あります。それを放棄して、そのドラマから逃げ出すことで小説を終わらせるのは、いかにももったいない。

一家が引っ越して行くことは、ヒロインの人間像の必然から出た変化でもなく、その人間関係の発展の結果として現れた変化でもありません。それらとは無関係な外的な事情（つまり閉山業務の終了）から出てきた変化です。つまり、この作品の第二部分「町を去る日の駅」のシーンは「新局面」の名には値しない。

この作品には素晴らしい「設定」はあるが、「新局面」もないし、そこに至る「展開」もない、ということになります。これは、設定が小説であると考え違いしている場合の典型でしょう。

■「設定の後出し」は禁じ手

仮に、推理小説の中で殺人事件が起き、様々な人々が登場していろいろ疑わしげな言動をしたあげく、真犯人は通りがかりの赤の他人だったということがラストシーンで読者に明かされる、などという作品があったとしたら、読者は腹を立てることでしょう。真犯人は、ちゃんと小説の最初から登場して十分に描き込まれていなければならず、ラストシーンで初めて登場するなどというのは推理小説のルール違反です。

こうした事情は、推理小説でなくても、またこれほど極端な例ではないにしても、すべての小説に当てはまることです。

仮にこんな小説があったとします。太平洋戦争の初期、山里の少年が、隣の家に預けられた年下の東京生まれの少女と知り合います。敗戦の翌年、少年は、よそへ貰(もら)われて行く少女と別れます。

ところで、こんな作品で、ラストの二人の別れのシーンになって、初めて少女はもともと貰いっ子の身の上だったということが読者に明かされたら、どうでしょう。彼女が貰いっ子の身の上だということの事実は、少女の人間形成の上でもまた物語の進行の上でもかなり大きな要素として、すべてのシーンになにかしら影響を与えていなければならないはずです。たとえ主人公の少年がそれをラストシーンまでは知らなかったとしても、当然少女本人は知っており、少なくとも周囲の大人たちの一部や何人かの子供達は知っていたはずで、なにかしらそれによってそれぞれのシーンに微妙なニュアンスが加わり、読者にも、ああなるほど、そのせいで……と思い当たる箇所が、随所に見いだされなければならないはずです。これが**「伏線」**と呼ばれるものですが、この場合、少女が貰いっ子の身の上だということは、ラストの別れの必然性のためには有効な設定だとしても、それがラストになって初めて読者に提示されるとしたら、それは**「設定の後出し」**で、小説作りとしては禁じ手なのは、言うまでもありません。小説の展開や新局面のための設定は、なるべく早く、読者の前にすべて提示されていなければなりません。その場その場の都合で、話のつじつまを合わせるために必要な設定を、急にその直前に持ち出すのは、読者に対してアンフェアである、と言えますし、それまでのシーンの積み重ねの必然性を損なうことにもなります。いわゆる**「伏線」とは、「設定」の「フェアな早出し」**のことだと解釈して下さい。

■「設定の継ぎ足し」は「展開」ではない

創作講座の受講者作品「GOOD」は、中年のヒロインが、懇意な知人夫妻の快気祝いに招かれ、途中で花束を買って商店街を夫と共に歩くシーンから始まります。ところが、二人の傍(かたわ)らを足早に追い越していく水商売風の女を見ると、夫はいきなりその女の後を追いかけて行きます。残されたヒロインは仕方なく一人で知人夫婦の待つ料理店へ赴(おもむ)きます。そのまま夫はとうとうその会食の席にも現れず、彼女は針の筵(むしろ)に座っている思いをします。

この二組の夫婦のそれぞれの人間像やその背景は的確鮮明に描き分けられ、読者をひきつける発端の意外性や謎の提示などにも端倪(たんげい)すべからざる作者の手腕が窺えます。

翌日の昼前になってやっと帰宅した夫の話を聞くと、女は以前夫の行きつけだったスナックのママで、夫が競馬の大穴を当てて預けておいた五百万円分ほどの馬券を、くすねたまま店をたたんで姿をくらましていたのです。夫はその日偶然女を発見し、後をつけて行って現在の女の店を突き止め、朝まで粘ってついに金を取り戻して来たのでした。

こうして、冒頭の謎は解かれてしまいますが、十日ばかり経つと、前述の知人の妻が怒鳴り込んで来ます。ヒロインの夫が以前から例のママとデキていて、このごろまたヨリを戻し、それをカモフラージュするために病み上がりの自分の夫を誘い、身体に悪い酒を無理に飲ませている、という抗議です。

それを聞いたヒロインは、なんとなく先日花束を買った花屋へ行き、衝動的に高価な蘭(らん)を購入しますが、話が弾むうちに、花屋の青年が例のママの従兄弟(いとこ)だということがわかります。

帰ってみると、親元を離れて暮らす大学生の息子から速達が来ています。競馬競輪パチンコなどでサラ金から借りた金が利子がかさんで三百万にふくれあがったので、なんとかしてくれ、という依頼でした。それを帰宅した夫に伝えると、彼はすぐさま車をとばして息子に会いに出かけます。

翌日、息子から電話がかかり、夫が息子のアパートで倒れたのをヒロインは知り、病院に向かいます。夫はクモ膜下出血で手術することになります。

病院には例の知人夫婦が駆け付けてくれます。ヒロインは彼等に、例のママから取り戻した金で夫に生命保険をかけておいたと告げると、知人の妻は「GOOD!」と叫びます。

こうして話を追って行くと、いかにも小説がどんどん発展していくように見えます。しかも、作者の筆力のせいで、それぞれのシーンにはそれなりの説得力があるので、ますますそのように見えてしまう。

しかし、よく見ると、この話は、夫が女の後を追いかけて行って、翌日帰って来てその訳を話したところでケリがついてしまっていて、その次の、夫がその女とデキているかどうか、というのはいわば後から設定を一つ追加したに過ぎない。その意味では、次の、花屋と意気投合したり、彼が女の従兄弟だとわかるのも、設定の追加です。そこへ息子の借金問題が加わるのも、設定の追加だし、夫の発病も勿論そうです。

こうして次々に設定を継ぎ足して行けば、ストーリーはいくらでも長く続けられますが、しかし、それはストーリーの展開とは本質的に違うものです。

ストーリーの展開とは、設定の中に含まれる葛藤（例えば目的とそれへの障害とか、三角関係とか）が、作中の時間の経過の中で状況や人間関係や心などに作用して引き起こす必然的な変化のことでしょう。

その意味ではこの作品も、夫が通りがかりの女の後を突然追い始める、という発端によって、ヒロインの中には夫との間の葛藤や、会食相手の夫婦との間の心理的葛藤が芽生えるわけで、これは申し分のない設定です。

しかし、その葛藤は、翌日帰宅した夫の説明ですべて氷解してしまうので、この設定で生まれたドラマはそこで終わってしまう。

そして、次に現れる設定——夫と女との関係への疑惑は、当初のドラマ展開の必然的な結果として生じたわけではありません。それとは別に、たまたま知人の妻が怒鳴り込んできたことによって生まれたものです。それは仮に冒頭のドラマをまったく削除したとしても、成立させようと思えば成立してしまう設定です。また、花屋とヒロインの出会いも、別に夫と女とのドラマの必然的な帰結から生じたものではない。ましてや息子の借金問題は、それまでのストーリーの必然とはなんの関わりもない。それは夫の発病も同じで、ただ偶然そうなっただけです。この場合発病はどうしても夫でなければならない必然性はなく、ヒロインが発病しても息子がしても、知人の妻であっても同じことですし、誰も全然発病しなくても、なんの矛盾も起きない。ただ作者が小説を続ける都合上、偶発的事件を追加しただけです。

つまり、この場合は、小説は展開したのではなく、次々に設定が継ぎ足されて行っただけだ、と言えます。その結果、作品は「こんなことがありました」という出来事の羅列に終わってしまった。

小説が真に展開しているならば、そうした出来事の一つ一つに例えばヒロインが何かしらのリアクションを起こし、それがまた相手のリアクションも誘発し、それによってストーリーの流れが変わり、主人公の行動なり心理なりに何かしら変質が起こる、といった結果が生じるはずです。

だが、この作品では、何かが起こるたびに、ヒロインはその尻拭いを繰り返すだけで、喜怒哀楽さえも定かには描かれず、ましてや何かしらそれによって「曲がり角」を曲がったようには描かれていない。ただ出来事の上っ面が次々に記述されてゆくだけで、それぞれの出来事はどう決着がついたのか……夫と女の間には関係があったのかなかったのか、息子の借金はどう解決したのか、花屋の青年とヒロインとの間柄はどう発展したのか、夫の病気は治ったのか悪化したのか……どれもこれもが書き出しっぱなしで、話のケリがついていない。とすれば、作者は一体何のためにこれを書いたんだろう、という素朴な問いが生まれてしまう。

　小説づくりを化学実験になぞらえれば、こうして次々に設定を追加して行く書き方は、いわば試験管に試薬を注ぎ、その結果には目もくれずに、また別の試薬を注ぎ、そうして次々にいろいろな試薬を注ぎ続けるのと同じようなもので、確かにその都度それなりの化学変化は起こるでしょうが、これではなんのための実験かわからなくなってしまいます。

　厄介なことに、小説の書き方でこういう間違いをしやすいのは、たいてい人一倍空想力が発達し、着想のひらめきの豊かな人なのです。書いているうちにどんどん着想がひらめき、空想の翼が広がって行く、という、羨ましい資質の持ち主が、むしろこういう落とし穴に陥り易いのです。

　でも、設定と展開とは違うのです。どんなに設定を積み重ねても、それがそのまま展開になるわけではない。展開部分で、新しい設定を次々に付け加えるのは、前述の「設定の後出し」にも通じる弊（へい）が生まれます。展開部分ではむしろ新しい設定の添加は極力控えねばなりません。既出の設定の中でいかに有効にドラマを成立させて行くか、という点に工夫を凝（こ）らすべきなのです。

■「設定の取り消し」は「新局面」ではない

添削批評に提出された作品の一つ「拒否反応」という小説の作者は、着想のひらめきに富んだ豊かな才気の持ち主のようです。また細部の描写力や人物造形力、構成力など、小説に必要な基本は身に付いており、文章も過不足なく、作品のなかにストーリーの発展があり、小説は主人公の曲がり角をとらえるものだ、という点もわきまえて書かれているようです。

この作品は、結婚してから発したアレルギー症状で目鼻などの粘膜や指先などの皮膚の過敏やかぶれに悩まされる若妻が、そのため季節外れのサングラス、マスク、手袋姿で、月に一度苦手な姑にご機嫌伺（うかが）いに行く気苦労が、発端に描かれます。アレルギー体質の描写にも、姑の気難しさの細部にも、作者の実体験ではないかとさえ思わせるほどの生々しい実感がありますし、随所に上手いな、と思わせる表現があります。

次いで、ヒロインとはウマの合う夫の姉が登場し、彼女が四十を過ぎて結婚して高齢出産に挑戦しようとしている、という新事実が明らかになります。それに伴ってヒロインは、夫と共に義姉に替わって姑と同居して欲しいと依頼されます。ここまでがこの小説の「設定」にあたるわけで、ここで初めてストーリーが動きだし、ヒロインは、もしここで離婚してしまえば、アレルギーと姑との両方から一挙に解放されることになると思い付きます。ここで離婚の危機まで潜めた岐路の選択とヒロインの心の葛藤のドラマ展開を創出したのは作者の手腕と言えましょう。

ところが、ふとした行き掛かりで姑の家に初めて泊まったヒロインは、そこでは自分のアレルギーが起こらない、という意外な発見をします。これで事態は思わぬ方向に向かおうとします。

その直後、たまたまヒロインには姑としみじみ語り合う機会が訪れ、今まで気難しい言動と見えていたのが実は姑の不器用な思いやりの表れだったと彼女は知り、二人は心から打ち解け合います。また、ヒロイン夫婦との同居の件も、姑の方からはっきり断ってよこします。かくて突然姑は難物であることをやめて「いい人」になってしまうのです。つまり、せっかく着想された難物の姑という「設定」が取り消され、また姑との同居の必要という「設定」も取り消されて、ドラマが解消し（つまり何も起こらなかったのと同じ）、しかも、もう一つの「設定」であるアレルギーは、そのままどんな決着もつかずに放置されて終わってしまいました。これではとうてい「新局面」とは言えないでしょう。

ストーリー展開は、主人公の進路に壁を置くことで生まれます。その壁をどうやって乗り越えるか（障害を克服するか）ということで小説は動き出すのです。壁が高く厚いほど、ドラマ性は高まります。この作品では、せっかくの着想でうまく壁が設定出来たのに、途中でその壁をわざわざ作者が撤去することで、急に作品が終わってしまうのです。これでは「終わった」のではなくて「中止した」に過ぎないのではありませんか？

この作品には、たしかに見事な設定があり、しかもちゃんとドラマが展開し始めようとします。そして表面的にはめでたしめでたしの新局面を迎えて終わったように見えます。しかし、そのめでたしめでたしの新局面とは、ただ、最初に提出された「設定」を最後になってそっくり「取り消した」だけのことなのです。**小説における「展開」「新局面」とは、あくまでも「設定」に真っ向から対決し、それを「乗り越える」ことで実現する**ものであって、「設定」を取り消すことで実現するのではありません。**「取り消し」は「新局面」ではない、**というのはそういう意味です。

こうしたいくつかの実例の検証で、「設定」「展開」「新局面」のそれぞれの意味が納得していただけたら幸いです。また、それに付随した想像力の在り方の違いその他は、後の各項で述べたいと思います。

■「設定の終わり」が「シーンの並べ換え」の始まり

ひとこと付け加えたいのは、第一章の「シーンと配列」篇で述べた、**「思い付いた順」に書き溜めたシーンをあらためて「読ませる順」に配列し直す時期、**というのが、ちょうどこの**「設定」から「展開」へと移る境目のあたり**になる、ということです。書き溜めたシーンをここで並べ換え、欠落したシーンを書き足したり、無駄なシーンを整理したりすることで、作者にもその作品の設定をあらためてきちんと把握し直すことが出来ます。そして、この「設定」がうまく配列されることによって、試薬がうまく配合されることで化学変化が始まるように、小説にもダイナミックな「展開」が始まるのです。

もちろん、この後にも、シーンは思い付く順に書き溜められていいのだし、それを読ませる順に配列し直す作業も繰り返されるのですが、そうした「並べ直す」作業の最も重要な第一回がこの時だ、ということです。

■長編の構造

ここまでは、話をわかりやすくするために、最も基本的な小説の構造を述べてきました。ただ、これがそのまま適用出来るのは、四百字詰め五十枚から百五十枚ぐらいまでの中編小説でしょう。もっと長い小説は、こうした基本的な構造の一まとまりが、また幾つか立体的に組み立てられて形作られているのです。

その**「設定」「展開」「新局面」という「基本的な構造の一まとまり」**のことをとりあえず**「シークェンス」**と呼んでおきます。これは劇映画製作の際の用語とのことですが、例えば、たいへんポピュラーだった劇映画「男はつらいよ」のパターンを例にとれば、冒頭の、葛飾柴又の団子屋とらや一家の日常の中へ飄然(ひょうぜん)と舞い戻ってきた寅さんが、心ならずも一家に迷惑をかけ、居辛くなってまた旅に出るまでが、第一シークェンスでしょう。次いで、旅先でひょんなことから知り合ったマドンナとのあれやこれやのいきさつが第二シークェンス。そしてとらや一家と寅さんとマドンナとが三つ巴(どもえ)になって繰り広げる一幕が第三シークェンスです。これに寅さんの夢が絡(から)むプロローグと、再び旅に出た寅さんの短い挿話(そうわ)のエピローグとが添えられて、一巻の映画の出来上がり、というわけです。

長編小説でもそれと同じように、いくつかのシークェンスが組み合わさって一編の小説が成り立っているのです。

しかし、もしそれぞれのシークェンスが互いに独立していたならば、その小説は長編ではなく、中編小説集か、連作小説にしかならないでしょう。

幾つかのシークェンスが一つの長編小説になるためには、互いのシークェンスが強いつながりと継続的な時間を共有していなければなりません。

理想を言えば、最初のシークェンスでたどり着いた「新局面」が、そのまま次のシークェンスの「設定」になり、そこから新たな「展開」が始まって、次の「新局面」に至る……ということが繰り返されてゆけば申し分ないでしょう。

しかし実際にはなかなかそこまでうまくは行きません。実際には、第一のシークェンスの「新局面」に、新たな設定が幾らか加わって、つまり「新局面」プラス「追加の設定」イコール「新たな設定」という形で第二のシークェンスが展開してゆく、という形になり、それが何度か繰り返されて一編の小説になるのでしょう。

ともあれ、どんなに長大な長編小説でも、それを分解してみれば、幾つかの「シークェンス」に分けることが出来、それぞれは分解すれば「設定」「展開」「新局面」に更に分けられます。そして、その各々は「シーン」が集まって成り立っている、という訳です。

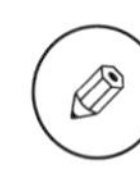

効果反比例の法則

■相殺

前述の「設定」に関連して、私が半ば冗談に「**効果反比例の法則**」と呼んでいる問題があります。それは「**一つの小説に、興味深い設定を二つ混ぜ合わせると、読者に対する効果は、二倍にならずに二分の一になる**」という法則です。

仮に、一つの物語の中に、末期癌の老妻を手厚く看取る老人の物語と、同じ主人公の、初恋の人だった未亡人との再会と相愛の物語とが、同時進行で描かれたとします。長年連れ添った人の病と死は、夫婦だったら必ずどちらかが直面しなければならない切実なテーマですし、一方、日本人の平均寿命の伸びに伴い熟年世代の恋愛もリアルでアクチュアルな問題として十分追求に値するテーマです。これらはそれぞれ別な二つの作品として書かれたならば、おそらくどちらも読者の感動と共感を呼ぶことが可能なはずです。

ところが、その二つが同じ作品の中で同時に描かれたとしたら、読者としては、老妻の看護をほったらかしにしていい歳をして女狂いをしている老人、という印象を受けてしまうでしょう。たとえ作者としては決してそんな老人として描く意図はなく、むしろ献身的に老妻を看護しつつ一方ではかつての初恋の人に純情を捧げる主人公を美しく描いたつもりだとしても、この二つの設定の取り合わせが悪かったためにとんだ逆効果が生まれてしまうわけです。

熟年の二人の恋のムードが高まったところへ末期癌の病人の苦しみの描写が割り込んで、ムードはたちまち醒めてしまいます。一方では看護の苦労がリアルに生々しく活写されればされるほど、それがいきなり男女のラブシーンへと切り替えられると、読者としては「そんなことをしている場合じゃないだろう」と言いたくなってしまい、せっかく効果的に描写された主人公の苦労への読者の同情がしぼんでしまいます。（もちろん、それを作者が狙ってわざと描く場合も有り得るのですが、この場合はごくオーソドックスに、主人公を肯定的に描いたつもりの場合として考えています。）

かくして、興味深い設定が二つ重なると、読者への効果は半分になってしまう、という結果になりました。

ところが、たいていの初心者の書き手は、その点を誤解していて、小説を出来るだけ面白くしようとして、一つの話の中に面白い設定を、二つならず三つも四つも詰め込もうとする傾向があります。しかし、設定が三つ四つと増えるにつれて、読者への効果は逆に三分の一、四分の一……と減ってきてしまう。

どうしてそうなるか、と言えば、その複数の設定に共通なものは、それらの主人公が同一人物だというだけで、出来事相互の間には有機的なつながりがないからです。そうすると、小説の進行が、無関係なシーンを互い違いに並べているだけ、ということになり、そのうちの一つのシーンに読者が興味を持ちかけると、とたんに全然別のシーンになってしまい、やっとその話に興味を持ちかけると、急にまた元の話に戻る、という具合に、読者の興味のテンションがなかなか上がってくれないのです。

いわばヤカンを火に掛けて、せっかく沸き(わ)そうになるとそのヤカンを下ろして、別のポットを火にかけ、またそれが沸きそうになると下ろして、もとのヤカンを掛け直す、ということを交互に繰り返しているようなものです。これではいつまでたってもどちらの水も沸騰してくれません。

こうした場合は一つの作品の中で二つの設定が「**相殺**(そうさい)」してしまっているのです。

相乗

　前述の例になぞらえて言えば、仮に老人の病妻と、彼の恋人との間に、実はなにかしら秘められた過去があって（あるいは何か特別な関係が新たに生じ）、それによって二つの物語は思いがけぬ展開を迎え、夫婦の間にも、恋人同士にもそれぞれ新局面が生まれる、とでもいったふうになって、その作品は二つの設定の組み合わせによって二倍の効果があがった、と言えるような場合もあるかもしれません。

　そんな場合には、その二つの設定は「**相乗**」効果をあげている、と言えます。

　要は、それぞれの設定の組み合わせ方次第、ということになりますが、しかし、私の見聞によりますと、そういう風にして「相乗」効果をあげるのは、かなり高度の手腕を要するようで、初心者の書き手は、それぞれの設定はそれぞれ別の作品にして、もしどうしてもつなげたかったならば「連作」という形式を用いた方が無難でしょう。

　ともあれ、単に小説をもっと面白くしようとして、あるいは一つの設定では小説の長さが足りないから、といった安易な発想で、二つ以上の設定を一つの小説に持ち込むことは、ゆめゆめなさらないように。

■額縁小説

この問題と一脈通じるものとして、「**額縁小説**（がくぶち）」があります。小説のファーストシーンとラストシーンに主人公の現在が描かれ、その中間に主人公の回想シーンが挟まる、という形式のことで、一名**サンドイッチ形式**とも呼ばれます。このような小説のメインは現在ではなく回想部分にあります。この場合も当然、前述の「相乗」「相殺」のメカニズムは働きますから、それに留意する必要がありますし、読者には、なぜ現在から回想しなければならないのかその必然性が納得がいかない場合もあるので、作者はたいした理由もなくその時の気分でこの形式を安易に用いるのは避けた方がいいでしょう。

また、確かな必然性によってこの形式が選ばれた場合でも、書き手によっては、作品の冒頭で現在のシーンが始まったか始まらないかのうちに、すぐさま回想シーンへと移ってしまうことがけっこう多い。

そんな場合、読者の側に立ってみると、例えばあなたが誰かのもとへ招かれた際、まず座敷へ通されて座布団に腰を下ろすか下ろさないかのうちに、いきなり引っ立てられて洋間へ連れ込まれるようなもので、落ち着かないことおびただしい。あなたとしても、一度座敷に通されたからにはせめてお茶の一服くらいはいただいてから洋間へ移りたい、と思われるのではないでしょうか。小説の読者でもそこのところは同じです。最初に現在のシーンに出合ったならば、とりあえずはそのシーンに付き合って、その世界を理解し、それに馴染(なじ)みたい。そして読者が一息ついて、そろそろ気分転換もいいなァ、と思う頃、そのちょうどよいタイミングを捉えて回想シーンへ移る、というくらいの心配りは欲しいものです。

3

十作って一書け

フィクション

「作る」フィクションと「削る」フィクション

フィクションとノンフィクションは一般的には正反対のもののように思われているのでしょう。

しかし「ノンフィクション」にはフィクションが無いか、というと、そんな事はない。なにもかも書くのはなんにも書かないのと同じです。どんなノンフィクションでも、書く事と書かない事との選択が行われているわけです。例えば学校の運動会を作文に書くのはノンフィクションの一種ですが、その場合だって、駆けっこでどっちの足から先に踏み出したかとか、校内のトイレに何回行ったかとか、その日にあった事をなにもかも書くわけじゃありません。

ノンフィクション作家の文章も、体験した事、調べた事、すべてを書いたら、読むに堪えないものになってしまう。優れたノンフィクションを書く秘訣は「**十調べて一書く**」ことだ、と言われています。つまり沢山のありのままの中から、少しのありのままを選び出して、あとは削ってしまう。ですから、ノンフィクションを書く場合のポイントは、何を書くか、ということと同じくらい、何を削るか、ということが重要なんですね。

極端な場合、ある事件の中で、良い事ばかり選び出して、あとはみんな削ってしまえば、それは良い話になってしまう。逆に、悪い事ばかり選び出して、あとは削ってしまえば、悪い話になってしまうでしょう。そのどっちの話の中にも作り話は一つもありません。けれど、結果は正反対になってしまう。そんな場合、書かれているのは本当にあった事ばかりだからと言って、フィクションがないと言えるでしょうか。

そういう意味で、僕は、すべての文章にはフィクションがある、と思います。ただ、そのフィクションに、種類が二つある。小説みたいなフィクションは「**作る**」**フィクション**です。それに対して、ノンフィクションは「**削る**」**フィクション**と言えるのではないでしょうか。その意味で、フィクションとノンフィクションとの間にはいろいろ共通点がありまして、両者は決して対立的な存在ではないのだと思います。

「水面上」のフィクションと「水面下」のフィクション

ノンフィクション、つまり「削る」フィクションの秘訣は「十調べて一書く」ということだ、と申し上げましたが、同じように、小説のような「作る」フィクションの場合にも**「十作って一書く」**のがコツなんですね。実際に小説の中に書く作り事が、たったの一行だったとしても、そのために頭の中では十行分くらいフィクションを作る必要があります。

例えば、主人公が「門の前で、隣家の主婦が金髪・超ミニ姿で出掛けるのに行き会った」なんていう一行を書いたとします。書くだけだったら、それだけ作ればいいのです。だが、それだけしか頭の中で作らないでおくと、同じ作品の別の箇所で、うっかり「定年退職した隣家の主人が庭で草毟(むし)りをしていた」なんて書いてしまったりする。定年過ぎた夫の妻が金髪・超ミニときたら、これはちょっとアブナイ。つまり、書くにまかせてその都度フィクションをやって行くと、フィクション同士のつながりがなくなって、場合によってはとんでもない矛盾を起こしてしまう。

だから、この場合には、主人公が隣家の主婦に行き会う時点でもう、隣家の主人は定年過ぎで、庭いじりが趣味で、子どもたちはそれぞれ独立して、息子一家はアメリカへ赴任しているが、娘の一家は近くに住んでいて、日曜日なんかに時々子供連れで訪ねて来る。孫は上が女で下が男……云々（うんぬん）、といったように、フィクションで作っておけば、それは書くためには直接不要でも、少なくとも隣家の主婦に超ミニを着せてしまうような危険は避けられるわけです。

逆の言い方をすれば、初め「隣家の主婦が金髪・超ミニ」というフィクションを作った時点で、次に「定年退職した隣家の主人」というフィクションが許されなくなる、という意味では、フィクションを一つ作る度に他のフィクションが制限されてゆく……つまり「**あるフィクションは、他の全てのフィクションを規制する**」のです。

このように、一つの文章の中のすべてのフィクションは、文章の表面の下で、互いに繋がっていなければならないんです。一つの列島が、水面の上では幾つかの島に分かれていても、水面下では一つの海底山脈として繋がっているのと同じですね。僕は、その、文章の中に書かれているフィクションのことを「**水面上**」**のフィクション**と呼んでいるのです。それに対して、文章の中には出て来ないけれど、それを支えているフィクションのことを「**水面下**」**のフィクション**と呼んでいます。「作る」フィクションというものは、そういうものなのです。ただもう、思い付きで作り話をすればいい、というものではないのです。

■「書く」フィクションと「書かない」フィクション

　では、作ったフィクションは作った分だけ皆書いてしまえばいいかというと、そうではないんですね。さっき述べたように、なにもかも書いてしまうのは、なにひとつ書かないのと同じ事です。それは、すべての絵の具をカンバスの上に塗り重ねれば、絢爛(けんらん)たる色彩の氾濫(はんらん)になる代わりに、ただの灰色一色になってしまうのと似ています。

　つまり「フィクションを書く」ということは、「フィクションを作る」こととイコールじゃないのです。

　フィクションを書くということは、作ったフィクションの中から、「**書く**」**フィクション**と「**書かない**」**フィクション**とを選び分けることなのです。これも前述したように、「削る」フィクション、つまりノンフィクションのコツは「十調べて一書く」ことだとしたら、「作る」フィクションのコツは「十作って一書く」ことなのです。その際、フィクションのうちの何を書いて、何を書かないか、の見極め方が、小説を良くするか駄目にするかの決め手であり、書き手の腕前の見せ所でもあります。

「解き放つ」想像力と「縛る」想像力

■フィクションは「空想への制約」

世上では往々にしてフィクションは空想と混同されているようです。しかしそれぞれのフィクションは互いに規制し合うものだと前述しましたが、その意味では**「フィクション」は「空想そのもの」ではなく、「空想への制約」なのだ、**と考えるべきではないでしょうか。空想はその当人だけの楽しみですが、フィクションは作者が読者と共に何かを探求するための道具です。「空想」は想像力を無制限に解き放つことで、そういう空想なら幼児だって出来るし、むしろ大人よりも幼児の方が得意でしょう。「フィクション」とは、そういった空想に制約を与え、書き手の経験や観察や人生観や思想によって、人間の探求のために有効な「設定」を空想の中から選び、そこから必然と思われる帰結へと空想を「展開」させてゆくものだ、と考えるべきでしょう。

■二種類の想像力

フィクションを支える想像力には、異質の二種類のものがあるような気がします。その一つは、架空の人物像や状況を生み出せる「**着想力**」（**設定力**）。もう一つは、その設定の中でその人物たちだったらどう行動し、どういうふうに状況を打開していくか（あるいは挫折していくか）を正確に辿ってゆける「**類推力**」（**展開力**）です。

化学実験に譬えれば、どんな物質とどんな物質とを、どんな容器の中で混ぜ合わせ、どんな熱や電流を加えてみようか、といった思い付きは「着想力」（設定力）ですが、その設定によって、容器の中にどんな変化が現れてくるか……どんな色、匂い、形が、どんな順序で生起するかを見定めるのは、それとは別の能力でしょう。

化学実験の場合には、それには綿密な「観察力」が求められますが、小説の場合にはそれもまた「想像力」を用いて行わなければならない。しかし、その場合に必要な想像力は、設定の際の想像力とは違います。この段階での想像力は、そんな状況の中ではそのような人物はどう考えどう行動するかという答えを、書き手の人生経験と人間観察の積み重ねの中から割り出すための想像力です。つまり与えられた条件の中での推移の必然性を探る力です。それがつまり「類推力」（展開力）です。そういう意味では、これは空想力よりもむしろ論理能力に近いのかも知れません。

第二章の「小説の構造」篇でのウサギとカメの話になぞらえれば、足の速いうさぎと鈍足のカメとを競走させてみたら……というとんでもない着想は、普通の思考の中からはなかなか生まれて来ないでしょう。それは奔放（ほんぽう）に解き放たれた自在な想像力の産物です。その上、ウサギには高慢でともすれば油断しがちな性格を、カメには粘り強く不屈な性格を与えてみたら、という思い付きも、様々な可能性の中から自由に選び出された着想であって、この場合、カメが高慢でウサギが粘り強いとしてもそこには何の不自然さもないのですから、そこで敢（あ）えて高慢なウサギと粘り強いカメという性格設定をしたところに、想像力のもう一つの見事な飛躍があるのです。

第二段階として、そんな性格の両者が出会ったらどうなるか、と類推することで、話は動きだします。高慢なウサギは「当然」自分の駿足を自慢し、カメを挑発するでしょう。そして不屈な性格のカメは「当然」その挑発に乗ってウサギに競走を挑むでしょう。そして油断しやすいウサギは競走の途中で「当然」一休みしたくなる。こうした推移は、与えられた状況と主役たちの性格から、「当然」こうなる、と納得出来ます。そしてその結果、駿足のウサギが敗れ鈍足のカメが勝つ、という「新局面」が生じます。ここにあるのは奔放に飛躍する想像力ではなく、与えられた条件の中での必然的な推移を類推する想像力でしょう。

つまり、第一段階の「設定」の際の想像力を「**解き放つ**」**想像力**とすれば、第二段階の「展開」の際のそれは「**縛る**」**想像力**と言えるのではないでしょうか。

■「着想力だけ」と「類推力だけ」

小説の設定段階では、主人公は男でも女でも、大柄でも小柄でも、場合によっては超能力の持ち主でも、書き手が人間の真実のどんな側面を探求するかによって、いくらでも自由に定めることが出来ます。しかし展開部分で、大柄だった主人公が作者の都合で途中から小柄になったり、極端な場合男が女になったりすることが出来ないのは当然で、この場合、男なら男、大柄なら大柄、という制約の中で小説は進行しなければなりません。

そんなことはわかり切ったことのようですが、実作の中では、書き手にはなかなかこの第一段階と第二段階の区別が付きにくいようです。例えば、はじめAとBという人物の間の出来事を描いていたと思ったら、途中からCを登場させて別の出来事を起こさせ、次にDを登場させてまた別の事件を起こさせ、そんな調子でE…F…G…H…と次々に登場させ続けることで小説をつないで行く。あるいは、人物は同じだが、不倫から始まった作品の途中で主人公が病気で入院することになり、退院の途上で交通事故が起こり、それが一段落した頃に家が火事になる……といった具合に、次々に着想を付け加えることで小説が進行する。前述の「小説の構造」篇の**「設定の継ぎ足し」**の項で取り上げた作品なども、作者は作品をすべて着想力だけで書いてしまった例といってよいでしょう。

では、小説作りには類推力（展開力）だけがあればいいのか、といえば、そうもいきません。最初の設定で、奔放な飛躍的着想があればこそ、その後の展開の中で人間についての新鮮な発見にも豊かな感銘にも恵まれる訳で、類推力が優れているだけの場合は、どうしても設定が平板でありきたりになり、その後の展開でもたいした発見は望めません。先に例にあげた作品で言えば、知人の快気祝いに夫婦で連れ立って町を歩いていた時に、追い越して行った水商売ふうの女性をいきなり夫が追いかけて行って姿を消してしまう、という飛躍した着想がなかったとしたら……つまりそのまま夫婦が何事もなく知人との待ち合わせのレストランに揃って着いて、四人で和気あいあいと食卓を囲む、といった小説の進行を、いくら類推力を駆使して周到に正確に描き切ったとしても、そこから読者はさほど新鮮な感銘も人間についての新発見も得られそうにありません。

要するに、**設定においては飛躍、展開においては正確、**というのがフィクションにおける望ましい想像力の在り方だ、ということでしょう。

「削る」フィクションの落とし穴と効用

■落とし穴

一方、ありのままを書く（いわゆる「削る」フィクションの）場合気を付けなければいけないのは、簡潔と欠如とは違う、ということです。

数々の書き手の「作り話」や「ありのまま」を読み比べているうちに、面白いことに気が付きました。ありのままを書いた文章のほうが、むしろ思わぬ所に書き落としが往々にしてあるのです。先入観では作り話のほうが書き落としが多くなりがちのように思えますが、実際は逆なのです。

創作講座の受講者の作品の中に「表にバイクの音が聞こえたので、ジョギングに出た夫が帰って来たのかと、女主人公が窓から覗く」というシーンがありました。読者としては当然、なぜジョギングに出た夫がバイクで帰って来たのか、なぜ彼女はバイクの音だけでそれがわかったのか、と不審がります。真相はごく簡単で、作者の実生活では、彼女の夫は早朝にバイクで町外れの公園地帯まで行って、そこでジョギングして、またバイクで帰って来るのを日課にしていたのでした。作者にとってはそれは永年の余りにも当たり前の日課だったので、つい読者にとってもわかりきったことだ、と錯覚を起こして、書き落としてしまいました。

ところが、作り話の場合には、かえってこの種の書き落としは見られません。書かれてあることはすべて作者の頭の中で作られたことなので、書かれていることは作者が意識的に把握していることだけです。それに対して、ありのままを書く場合は、作者が自分の頭の中で作ったことを書くわけではないので、何から何まで意識的に把握しているとは限りません。前述の例で言えば、作者は、夫がジョギング先までバイクを使うという特殊事情を、いちいち意識していません。その意識的に把握していないことまで、時には無意識に作品中に書き込んでしまう。しかも作者には、書いているのは実際にあったことだから、有り得ないことを書いてしまう心配はない、という自信があります。その自信が、時には作者と読者とを心の中で混同させて、思わぬ書き落としという落とし穴に嵌(は)まらせてしまうのでしょう。

事実を素材にして小説を描く場合にはこうした盲点に注意しなければなりません。

効用

創作の目的は、架空の話を作る……いわば火のない所に煙を立てることではなく、作った話で読者に感銘を与え、そこに人間についての真実を感じさせることなのではないでしょうか。

「作り話は事実に近いものにしろ――これは嘘をつく際の第一の、そして最古の法則である。」「事実に近ければ近いほど、よりよい嘘になる。そして事実そのものは、それが利用出来るときには、最善の嘘になる。」これは共にSF作家のプロイフとアシモフのそれぞれの作品の一節です。ジャンルとしては事実に最も遠い作り話と思われているSFの中の言葉なので、ますます意外でもあり興味深くもありますが、この中の「嘘」という言葉を「フィクション」に置き換えてみれば、なかなか含蓄（がんちく）のあるコメントと言えます。「**フィクションは事実に近いものにしろ**」「**事実に近ければ近いほど、よりよいフィクションになる。そして事実そのものは、それが利用出来るときには、最善のフィクションになる**」

小説の書き手には書く目的があります。そしてフィクションはそのための手段です。書き手にとってその目的のためにいちばん有効な手段が事実ならば、事実そのものを利用するのが一番いいことになります。「事実そのものは、それが利用出来るときには最善」の手段になる、という訳です。

つまり、書き手が追求したいテーマなりストーリーなりのために役立つものが、もしも書き手の体験なり見聞なりの中にあれば、極力それを利用した方がいい。

こんなことをわざわざ付け加えるのは、書き手の中には、自分の人生の中で直面した問題を、そのままその事実を素材にして書くのは小説ではない、と思い込んで、ことさらに架空の人物や物語に仮託してその問題を追求しようとすることがあるからです。もちろん、そうすることで見事な小説が出来上がれば、なんら問題はありません。だが、特に初心者は失敗する可能性が増えます。そんな余計な苦労をわざわざ背負い込む必要はあるまい、というのが私のいいたいことなのです。

もっとも、事実を素材にして小説を書く場合には、それならそれで問題がいろいろ生じます。

「手記」と「小説」

便宜上ここでは、「手記」という言葉を、旅行記や闘病記や自分史のような体験記とか、随想、エッセイ、感想文の類までひっくるめて、「私」を主語にして書かれているノンフィクションの文章の総称として使わせていただきたいと思います。

「手記と小説はどう違うのか」というご質問をたびたび受けます。ここまで述べてきたことはすべて、それについてのご返事にもなっていると思うのですが、おそらくそのご質問のポイントは、「『書き手の体験を描く一人称小説』と『手記』とはどこがどう違うのか」という点なのだろうと思います。主人公が「私」となっている小説はもちろんのこと、主人公が「彼（彼女）」となっていても、その描写が終始主人公の視点から描かれ（つまり「私」を「彼（彼女）」と書き替えただけ）、しかもその内容が作者の体験を素材にしている場合……そんな場合、手記と小説との違いはどこにあるのか、どれを手記と呼び、どれを小説と呼ぶのか、というご質問なのだろうと思います。

実際問題として、作者が若いのに主人公が老人である、とか、作者が男なのに主人公は女である、あるいは描かれている時代が全く違う、などという場合は別ですが、一般的には、一人称小説の内容がフィクションであるか作者の体験であるかは、読者には必ずしも判断出来るとは限りません。ですから、主人公の視点から終始描かれている小説は、手記とどう違うのか、という問題は、読者には常にまとわりついてくるでしょう。

■「客」と「シェフ」

「小説の筆者」は、たとえて言えば料理店の「シェフ」にあたるのでしょう。「客」にあたるのが「読者」です。

「シェフ」は、客にどんな料理を食べさせ、どんな味覚を味わわせるか、そのことを常に考えています。「客」は、味わった料理が美味しければ美味しいと言えばいいし、出されたお酒が口に合ったら酔えばいい。それが客の人間性の表現にもなります。

しかし、客が料理を味わったり、酒に酔ったりする前に、「シェフ」が自分の料理を褒(ほ)めたり、酒に酔ってしまったらどうでしょう。客はしらけて食欲を失ってしまうにちがいありません。

つまり、小説の中で、「美しい少女」とか「陰鬱な風景」といったような作者の感想を押しつけるような表現をしたり、「なんと崇高な志だろう!」などと先走って感動して見せたりするのは、「シェフ」が客をそっちのけで自分の料理を美味しがったり酒に酔ったりするのと同じで、読者をシラケさせる結果を招きます。

そこのところを勘違いして、やたらにテンションを上げて歌い上げるような文章になったり、思い入れたっぷりな詠嘆調の表現があちこちに出てくる作品がよくあります。これは、とんでもない間違いです。

小説の書き手は、プロのシェフが素材をどのように調理し、酒をどのように調合すれば、お客は美味しく食べ、心地よく酔うかに心を砕くように、冷静かつ入念に小説づくりに心を砕かねばなりません。


一方、「手記」では、筆者は自分の味わった体験が快かったら快かったと書けば良いし、感動したら感動したと書けばよい。いわば、「手記の筆者」は「料理店の客」の立場で書けばいいのです。

「手記」の方法が「筆者がどう感じ、どう思ったか」を記すものだとすれば、「小説」の方法は「読者にどう感じさせ、どう思わせるか」を目指すものだと言えます。

■「筆者」と「私」

手記では、文中に出てくる「私」と「筆者」とはイコールです。

それにひきかえ、小説の場合には、たとえ主人公が筆者をモデルにして書かれたものであっても、または「私」という一人称によって描かれていたとしても、「筆者」と「主人公の私」とは別物です。小説の筆者にとっては、「私」と「筆者」との関係は、「作中のすべての登場人物」と「筆者」との関係と同一でなければなりません。

例えば、小説の中に筆者をモデルにした「私」とその友人との対面のシーンがあるとすれば、筆者が他者として友人を見るのと同じ視線で、筆者は「私」をも他者として見なければならない。つまり「筆者と私との距離」は、「筆者と友人との距離」と同じでなければならない。筆者が友人の容貌性格長所短所を見て描くのと全く同じように、「私」の容貌性格長所短所を見て描かねばならない。

念のためもう一度まとめておけば、文章の中で「筆者」と「私」とが意識の上でも叙述の上でも完全に一致していたならば、それは「手記」のジャンルに含まれる。一方、文章の中の「私」の容姿や体験がいかに筆者に近くとも、筆者が「私」を作中の他の人物と同じように見て、「**筆者**」と「**私**」**とを意識の上で切り離して捉えることが出来ていれば、それは「小説」である、**というのが、私の意見です。

4

ストーリーかヒーローか

人間像

「芝居」と「役者」

小説の書き手が、例えばある人物の苦悩を魅力的に描こうとする場合、銘記すべきなのは**「苦悩が人物を魅力的にするのではなくて、人物の魅力が苦悩を魅力的にするのだ」**ということです。

これは、苦悩に限らず、作中の不幸、事故、迫害、失恋、あるいは幸運、勝利、冒険などでも同じことです。

例えばお芝居、映画、テレビなどでは、当然の前提として、プロデューサーは魅力ある俳優を揃えようとします。彼等がドラマの中の人間像に何かしらの魅力を付け加えることで、初めてそのストーリーが魅力的になるのをわきまえているからです。

こんな事はいちいち断るまでもない自明の理だと思われるでしょう。ところが、いざ自分が小説を書くとなると、意外にそれが念頭から抜け落ちることが多いのです。作者が自分にとって印象深い体験、あるいはテーマ、あるいはプロットを書こうとすることから、すべての創作は始まるわけですが、その時、作者はつい、それらの素材自体に魅力があり、読者はそれに惹(ひ)かれるに違いない、と無意識に決め込んでしまいがちです。

しかし、必ずしもそうではないことは、同じ芝居でもいい役者が演じた時とそうでもない役者の時とでは芝居の魅力が違うのを思い起こしていただければ、自明でしょう。または、同じ衣装を魅力的なモデルとそうでもないモデルとがそれぞれ着用した場合を考えていただいても結構です。小説だってそれと同じで、ストーリーやテーマがたとえどんなに魅力的であっても、そのドラマを担う登場人物の人間像が魅力的でなかったら、その小説の魅力は半減します。

■「自分史」の盲点

昨今大いに流行(はや)っていると聞く自分史執筆が、筆者自身にとって有意義で貴重なのは疑う余地はありませんが、一般読者にとっても魅力的な作品、ということになるとなかなか見つけ難(にく)い理由の一つは、そこにあるのではないでしょうか。

つまり、自分史の主人公はもちろん筆者自身ですが、主人公の人間像が興味深く魅力的であるのは筆者には自明の前提なのです。どんな筆者にだって自分という人間は興味深い存在であるに決まっていますから。そこで、自分が体験した出来事とか人生行路とかが自分にとって面白かったなら、それを書いた自分史は一般読者にとっても面白いに相違ない、と筆者は決め込んでしまいます。しかしそれは、例えばある芝居について、それをどんな役者が演じようが観客には必ず面白いに相違ない、と決め込むのと同じくらい根拠のない思い込みです。

たまたまある自分史の筆者の人間像が、客観的にも魅力的だった場合には、自分史の主人公の人間像も当然魅力的になり、一般読者が読んでも魅力的な自分史が出来上がるわけです。

■「人間像」の軽視

小説の場合でも、その間の事情は同じです。

その作品が「事実」を素材にしている場合には、登場人物たちの行動も、とりあえずはそれぞれ一人の人物として一貫し、矛盾は起きないでしょう。しかし、その場合にも、作者によってそれぞれの人物が人間像として意識的に把握されていない場合には、どうしてもその人物の人間像は一面的で平板になり、事実を超えてその人物の孕(はら)む可能性を捉えるまでには至らず、したがって魅力ある人間像の造型は困難になるでしょう。

全くの「フィクション」でも、そこで使われている素材や設定は素晴らしく、ストーリーもけっこう面白いのに、その中で活躍する人物たちはいかにも平凡で魅力がない、いやそれどころか、それぞれの特徴がなくて、区別が付け難い、などということさえあります。人間像の造型の意思が作者にはもともとあったのか？　と疑いたくなるような作品が往々にしてあるのです。作中に描かれている出来事とかストーリーなどに、作者の関心が集中してしまって、そんな出来事やストーリーによって表現されるべき人間像の方がお留守になっている場合がある、ということです。とりあえず顔と手足があって動き回ってさえいれば、登場人物として間に合う、というのでは、お芝居に役者の代わりに操り人形を登場させるのとたいした違いはありません。

■「ストーリー」優先による「人間像」の分裂

ところで、仮に作者が、作中人物の人間像の造型に無関心……いや、もっと正確にいえば、意識的に捉えておらぬまま成り行きに任せている場合でも、小説の展開の中で、否応なしに作中人物の人間像は規定されて行くのです。

そのように作者によって意識的に捉えられずに作中で自動的に規定されて行く人間像は、フィクションの作品では場面場面で同一人物の人間像が食い違ってしまい、矛盾を起こして作品そのものさえも破綻させてしまう虞れさえあります。例えばある場面では内気だった人物が、別の場面では厚かましくなったり、慎重だったはずの人が無謀になったり、まるで多重人格のように一貫性のない人間像になってしまう。

なぜそんなことが起きるのかといえば、それは作者が自分の思い通りにストーリーを進行させようとして、それにいちばん都合のいい言動をその場その場で作中人物にさせるために、そんな統一性のない人間像になってしまうのです。

創作講座に提出された作品の一つ「子供の悲しみ」に登場する母親たちの一人は、勝ち気で子供の躾にも厳しく、小二の娘はそのストレスから友達を苛めるほどです。ある日、母たちと公園に行った娘は、以前悪戯されそうになった痴漢が木陰に潜んでいるのを見つけて母に告げます。母は、警察に電話をしに娘を連れて自宅へ戻ろうとしますが、娘が同行を渋るのでやむなく、その場で見張り役を引き受けるもう一組の母子にわが子を託して、我が家へ急ぎます。すると、突然痴漢が娘たちに襲いかかり……という具合に物語は進行します。しかし、普段躾に厳しい勝ち気な母親が、どうしてそんな場合に限って、自分の言いつけに逆らうわが子に譲歩して、危険な現場に娘を残して一人で立ち去るようなことをしたのでしょうか。こんな時にこそ日頃の躾を役立てないで、一体いつ役に立てるというのでしょう。どうしてこの時突然彼女は、娘のわがままを何でも聞いてやる甘い母親になってしまったのでしょう。まるで一人の中に二人の母親がいるみたいではありませんか。

どうしてこんなことになってしまったのか、といえば、それは、この作者の想定する物語の進行のためには、是非とも彼女の娘が現場に居残ることが必要だったからです。作者が自分の考えついたストーリーをなにがなんでも貫徹させようとしたために、このような矛盾が生まれてしまったのです。

このケースなどは、まさに**「ストーリー優先による人間像の分裂」**の典型でしょう。

物語に逆らう「人間像」

ここまでは便宜上、小説の内容と登場人物との関係を、芝居と役者との関係などになぞらえて述べて来ました。しかし本来は、小説の内容と登場人物とは、芝居と役者、あるいは衣装とモデルのように取換え自由な別々の存在ではないのは勿論のことです。

ある登場人物に一定の性格が与えられると、ある場面で作者の思い通りにストーリーを進行させるために是非とも必要な言動を、その人物にどうしてもさせることが出来なくなる場合もあります。ある場面である人物が嘘をつかなければその後のストーリーが成り立たないような場合、その人物が予め正直で嘘がつけない性格と規定されていたとしたならば、そのストーリーは別の方向へ展開してゆかざるを得ないでしょう。

人間像とは、作者の当初に着想したストーリーに奉仕するというより、むしろそのストーリーに逆らって、作者の思いもかけない方向へストーリーをいざなって行くことで、作者の思い付きから出発した当初のストーリーに生命を吹き込み、作者にも思わぬ新発見をもたらす場合があるのです。

そのよく知られている例が、「ドン・キホーテ」でしょう。当初、作者のセルバンテスは、当時流行していた中世騎士道物語を批判するつもりで、そのパロディとしてこの小説を書き始めました。そこで、作者は主人公のドン・キホーテの生き方を否定するために散々滑稽な失敗をさせ、酷い目に遭わせ続けました。ところが、作者は、彼を無私で高潔で愛他的で勇敢で、理想のために我が身をなげうつ純粋で不屈な性格と規定したために、作者が彼に失敗をさせ酷い目に遭わせれば遭わせるほど、それが主人公の生き方を否定することにはならず、逆に永遠の理想主義者の悲劇として、彼の美しさを際立たせることになってしまいました。

これは、作者の規定した人間像が、作者の意図や当初のストーリーに逆らって、作者の思いもかけなかった生命を作品に宿らせた例でしょう。

「設定」と人間像

このように、人間像は作品のストーリーに介入し、変質させてゆくのですが、その過程にはどのようなメカニズムが働くのでしょうか。

この問題は、第二章「小説の構造」篇で述べた「設定」と「展開」の問題と密接に関わっているようです。

こういう言い方が出来るのではないでしょうか。小説の中で登場人物が遭遇する出来事や問題――つまり「設定」は、その人間像とは無関係だが、しかしその人物のそれへの「リアクション」の仕方に、その人物の人間像が表現され、それが作品の「展開」をもたらすのだと。

時として、出来事の推移ばかりが描かれて、登場人物のそれへのリアクションがさっぱり描かれていない作品がありますが、その場合は必然的に、次々に出来事が追加されることで小説が進んでゆくしかなくなります。しかし、それは小説としての本当の展開のしかたではない、ということは「小説の構造」篇で述べました。作品の中での話の進行が、登場人物の人間像に固有のリアクションによってねじ曲げられ、思わぬ方向へ向かって行くようでなければ、小説としての「展開」とは言えません。

「展開」と人間像

小説の中の「設定」は、人間像を考慮しなくても作り上げることが出来ますが、その設定から小説が「展開」してゆく過程では、登場人物の人間像が大いに関わり、ストーリーの展開そのものを決定して行きます。

その見本として、皆さんご存じのメリメの「カルメン」をとりあげてみましょう。

その発端つまり「設定」は、タバコ工場の女工仲間の諍いで、カルメンが相手に怪我をさせた時、逮捕に赴いた下士官のドン・ホセが彼女の魅力の虜になり、わざと逃がしてやったため、自分が罰せられます。それに感激したカルメンは、彼の愛を受け入れます。この設定は、いかにもドラマチックでユニークに見えますが、考えてみれば、ここまでは必ずしもカルメンという人間の個性がなくても成り立つ部分です。

これを普遍化すれば、「美女が危機に見舞われたとき、彼女に惹かれた男が我が身を顧みず彼女を救い、その結果二人は結ばれた」という設定になりますが、こんなふうにまとめれば、これは世界中の神話伝説からお伽話、果ては西部劇や我が国の時代劇まで、しょっちゅうお目にかかるお馴染みのパターンであって、べつにヒロインがカルメンでなければ成り立たないという話ではありません。

しかし、そこから話が展開し、やがて奔放なカルメンの振る舞いにドン・ホセがあれこれ掣肘を加え出すと、彼女の愛は次第に冷めて行き、ついに彼女は、ドン・ホセの要求を拒めば彼に殺されるだろうとはっきりわかっているのに、自分の正直な気持ちを偽ることを拒み、彼の束縛から自分の自由を守ることのほうを重視し、いわば自分の命よりも自分の心の真実を守って、敢然と死んで行きます。

こうした話の展開は、カルメンという人物の人間像なしには有り得ません。そして、そんな彼女の人間像と、それによってもたらされた新局面によって、この作品は同様の設定から出発した他のいかなる作品とも劃然（かくぜん）と異なるユニークな「新局面」と、人間性への新発見とを読者に提示しているのです。

小説の場合、その「**設定**」**は必ずしも登場人物の人間像とは関わりがなくても、その「展開」は人間像との関わりなしには有り得ないし、逆に展開そのものが人間像の表現でもあるのだ、**という意味が、この例でわかっていただけたら幸いです。

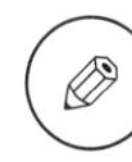

人間関係

小説とは、単に人間を描くというより「人間関係」を描くものだと前述しました。ところで、「関係」を描くためには複数の人間が必要です。ですから小説の成立には最低でも二人の人間が必要です。

時々目にするケースとして、作者の分身と思われる主人公はそれなりによく描かれているが、それ以外の人物が「生きていない」作品があります。作者はその主人公が描きたかったのだから、それさえ描けていればいいじゃないか、と言われそうですが、しかしそれでは作者、ないしは主人公の「**モノローグ**」の世界に終始しているに過ぎません。小説は「**ダイアローグ**」の世界を描くものです。

そうかと思えば、対話がありさえすればいいんだろう、とばかりに、複数の人物を登場させるのだが、そのどれもがみんな作者の分身で、いわば作者のクローン人間が何人も勢ぞろいしたような作品もあります。これは、モノローグを幾つかに分けただけのことで、真の対話とは言いかねます。

■「主人公」と「他者」

作家の三木卓（みきたく）が、最近の小説の中には他者が不在のものが多い、という趣旨の発言をあるエッセイの中でしていますが、これも同じような意味かと思われます。

　「関係」と呼ぶからには、「他者」の存在が前提になります。主人公の他に、それとは異質で自立した他者としての登場人物。望むべくんば、主人公に拮抗するだけの存在感と魅力のある他者。それが、小説には主人公の他に少なくとも一人は必要です。

なぜ他者が必要かといえば、それによって作品の世界に複眼の視点が導き入れられるからです。主人公の視線とは異質の視線の持ち主の存在によって、複数の光源からその世界を照らすように、作品が立体的に捉えられることになります。言い換えれば、作品に客観性が与えられる、ということでしょう。主人公には大変な悲劇に見える出来事が、別の登場人物にとっては滑稽な事件に見えるかもしれない。そうしたそれぞれ別なリアクションによって、作中のシーンが重層的に捉えられることで、読者の目にはそれが**薄っぺらな主観的なシーン**から**立体的で客観的なシーン**へと変質するのです。

その間の事情を図式的なまでに明快に示している例としてマーガレット・ミッチェルの

「風と共に去りぬ」を挙げてみましょう。スカーレット・オハラにレッド・バトラーが対置されることで、彼女によって代表される南部の地主的な生活感情や美意識の前近代性や空虚さが浮き彫りにされ、バトラーにアシュレ・ウィルクスが対置されることで、バトラーの野卑で現実的な行動性がクローズアップされます。対置は逆にも作用し、バトラーによって上品で繊細で貴族的なアシュレの現実的無能力が露呈されます。スカーレットにはメラニーが対置されることで、スカーレットの強烈な生命力とエゴイズムが照らし出される。彼等が単独で描かれたとしたら、このような相対化された、立体的な視点は生まれなかったでしょう。

■人間関係の「放射線」

私が「**人間関係の放射線**」と呼んでいる図形があります。それは円の中心に小説の主人公がいて、円周に他の登場人物が並ぶ、という形です。人間関係は、主人公から円周の各人物に向かって放射線状に引かれた線によって表されます。主人公のほかに人物が二人いれば放射線は二つ、三人いれば三つ、四人いれば四つです。人物が一人増えれば線は一本増えるだけです。つまりこの場合は、人間関係は、常に主人公との関係だけしか考えられていません。

実は、初心者の書く小説の人間関係は、こうした放射線状の形で捉えられていることが多いのです。

しかし、現実の人間関係というものを考えてみて下さい。仮に、あなたと、連れ合いと、あなたの母と、あなたの息子、という四人家族がいたとします。人間関係の放射線をこれに当て嵌めれば、あなたと連れ合い、あなたと母、あなたと息子、という三つの人間関係が図示されることになります。しかし、実生活では、この三つの人間関係だけであなたの生活は成り立ってゆけますか？　連れ合いと息子、連れ合いとあなたの母、息子とあなたの母、という人間関係とは、果たしてまったく関わりなしにあなたの日々は過ぎて行くでしょうか。

つまり、人生一般では、たとえあなたがいかに無視しようとも、あなたの身内やあなたの知人たちの間には、あなたとは別の人間関係が成立しているのです。そして、意識するしないにかかわらず、あなたの行動や感情は、そういったあなた以外の人間関係に大いに影響されています。それを無視することは、人間関係のうちの大きな部分の認識を欠落させることになるのは、よくおわかりになるでしょう。

小説を書く場合でも同じ事で、主人公と他の人物との間の人間関係しか考慮に入れないで、他の人物同士の人間関係を無視して書くことは、人間を捉える上でたいへん偏った書き方であり、小説全体を薄っぺらな二次元的な世界にしてしまうのです。

■人間関係の「多角形」

あなたの創作ノートに、あなたの小説の主要な登場人物の頭文字を、丁度車座のように、丸く配置して記してみて下さい。主人公も他の人物と平等にその頭文字の輪の中に加えて下さい。そしてその頭文字のそれぞれを頂点とする多角形を描いて下さい。つまり主人公を含めて主要な人物が三人なら三角形、四人なら四角形、五人なら五角形です。次にその多角形の対角線をすべて引いて下さい。その時その多角形のすべての辺とすべての対角線の数の和が、その小説の中で成立し得るすべての人間関係の数です。

たとえば三角形なら辺が三つで対角線はゼロですが、四角形なら辺が四つに対角線が二つ、合計六つ。つまり人物四人なら六通りの人間関係が成り立ち得る、というわけです。人物が三人から四人へと一人増えると関係が一つだけ増えるのではなく、もっと大幅に三つから六つへと増えてゆくわけです。

もっとも、どんな小説でも例えば登場人物が四人なら必ず六通りの人間関係を書かなければならないか、と言えば、もちろんそんなことはありません。しかし、前述したように「書く」のと「作る」のとは違います（第三章「フィクション」篇参照）。書くのは結果的にはそのうち三通りの人間関係だけであっても、作者の中では、六通りの関係全部が思い描かれていなければ、いわゆる「水面下」のフィクションは完成しません。それがなされていないと、「水面上」のフィクション同士が矛盾を起こしたり、作品全体が薄っぺらな紙芝居になったりする危険があります。

しかし、そんな不備の修正だけのために、こうした多角形を描く作業は行われるわけではありません。創作ノートの多角形を睨(にら)んでいるうちに、あなたはひょっとすると、それまで念頭に浮かびもしなかった作中人物たちの間の人間関係が有り得るのに初めて気付き、しかもその関係を誠に興味深いものとして思い描き始めるかもしれません。

例えば、あなたの小説にA、B、Cという人物が登場し、当初あなたの念頭にはAとB、AとCの二通りの関係しかなかったのに、人間関係の三角形を描くことで「そうだ、BとCとの関係も有り得るんだ」と気付き、今まで構想に無かったBとCの出会いのシーンが急に目に浮かんでくる、などという場合があるのです。それによって、作者にも思いがけなかったような方向へ物語が動き始め、自分でもびっくりするようなおもしろい展開が得られる、ということも起こります。

■「枚数」と「人数」

創作講座への提出作品の「贈りもの」という四百字詰原稿用紙三十枚の小説には、十四人の人物が登場します。この場合の人間関係の多角形を考えてみると、十四角形の辺と対角線の和は九十一です。実際には作中で具体的に描かれている人物がその半分だとしても、それでも七人の人間関係の和は二十一通りです。作者は、原則として、その二十一通りのそれぞれをすべて検証し、そのうちのどれを書く必要があるかを判断しなければならない。仮にその半分以上を描く必要があると判断するとしても、十通り以上の人間関係を書かねばならないわけです。三十枚の小説でそれをやるとすれば、一つずつの人間関係を描くのにそれぞれ三枚以下しか枚数がないことになります。そんなことはどんな大天才だって無理でしょう。いきおい、大部分の人間関係は無視され、片っ端から欠落し、人数が増えれば増えるほど作品は一面的で平板なものになるしかありません。（ただし、これは「短編」篇で後述しますが、三十枚という枚数は短編と中編のちょうど境目の長さなので、こうした問題は、作者がこの作品を中編として書こうとした場合での話であって、もし作者が中編ではなく三十枚の短編を書こうとしたのであれば、事情が多少違ってきます。）

ともあれ、話を中編の問題としてそのまま続ければ、それは譬えて言えば、十人以上の役者を雇って、ほんの二、三分程度の寸劇を演じて終わる公演みたいなもの、とも言えます。そんなことを実際にやったら、膨大な出演料で劇団が潰れるだろうし、舞台上で役者同士が邪魔になり合って、その二、三分の寸劇さえうまく演じられそうもありません。

こんなふうに考えてゆくと、実際問題としては、小説が短ければ登場人物は出来るだけ少ないほうがいい、ということになります。

■貧乏劇団の座長

では、長編小説なら、登場する人数はいくら多くても構わないか、といえば、そんなことはありません。長編小説は沢山の人間の沢山の出来事を書くものだ、とあなたが思い込んでおられるとしたら、それは誤りです。長編小説でも、追求したいテーマにとって必要最低限度の出来事を、必要最低限度の登場人物によって描くものだし、いくつもの出来事をただ無計算に混ぜ合わせて描けば、前述の「効果反比例の法則」が働いて、作品の印象を薄めてしまうだけです（第二章「小説の構造」篇参照）。

小説の書き手は、貧乏劇団の座長と同じ心構えが必要だ、というのが私の持論ですが、つまり、そんな座長は、ある芝居を上演する時に、その芝居がぎりぎり成立し得る必要最低限度の役者しか雇わないでしょう。

小説でもそれは同じで、ある物語を描くのに、ぎりぎり必要最低限度の人物しか登場させない、という心構えが必要です。なぜなら、前述のように、人物が一人でも増えれば、それによって作中で書き手が検証しなければならない人間関係は飛躍的に増え（三人から四人へと一人増えるだけで、関係は三通りから六通りへと増える）、それだけ書き手に余計な想像力や描写力の負担を強（し）いることになるからです。

添削批評へ提出された「ライフサイクル」という作品には、四人の中学生のグループが登場します。小説の内容にとっては三人いれば間に合うのに、おそらく四人の方がよりグループらしく見える、というだけの理由で、一人増やしたのではないかと思われます。そのせいか、そのうちの一人は作品の半ばで早々と病気になって作中から姿を消してしまいます。そして、それでも物語の進行にとっては何の支障も起きません。それどころか、三人よりも四人の中学生をそれぞれ描き分ける方が当然面倒で、従って読者には四人の見分けがなかなか付きにくい。そこでなんとか見分けの付きやすいようにそれぞれの人間像を詳しく書き込むと、今度は作品が冗漫（じょうまん）になってしまう。つまり、この場合、三人を四人にするメリットはほとんどなく、逆にデメリットが大きい。

あるいは作品中に、例えば主人公に兄がいる、という設定をする場合に、兄だけでなく妹もいることにしたほうがいかにもきょうだいらしく見えるだろう、というだけの理由で、またはモデルにした人物には兄だけでなく妹もいた、というだけの理由で、物語の進行にはべつに何の役割も果たさない妹を作中に登場させる書き手がいます。仮にあなたが貧乏劇団の座長だったら、ただ舞台に座らせておくだけのためにわざわざ女優さんを一人余計に雇って、高い出演料を払いますか?

とにかく、小説を書く場合には、登場人物は必要最低限度にしぼり、その間の人間関係を周到に且(か)つ深く描き込むべきだと思います。

魅力について

■「わからせる」と「感じさせる」

この篇の冒頭で、登場人物の人間像の魅力が、描かれる内容に魅力を与えるのだ、と筆者は記しました。では、どうしたら登場人物は魅力的になるのでしょう。

この場合、いちばん初歩的な過ち(あやま)は「彼は(彼女は)魅力的だ」などと書くことです。まさかここまで初歩的ではないにしても、ちょっと違った形で、しかし実はこれと同質の過ちを、けっこう多くの作者が犯しているようです。「その美しい瞳を……」とか、「あでやかな後ろ姿が……」などと書くことでその人物を魅力的にしようとする試みは、つまりはただ「魅力的だ」と書くのと、本質的には同じことでしょう。

あなたに料理を美味しいと説明することと、あなたに美味しい料理を食べさせることとは、違います。それと同じように、読者に、ある人物は「魅力的だ」「美しい」「あでやかだ」と説明するのと、読者にその人物を自分で魅力的だ、美しい、あでやかだ、と感じさせるのとは別のことです。

作者のなすべきことは、その人物のどこがどのくらい魅力的であるかを読者に「**わからせる**」ことではなく、その人物が魅力的だと読者に「**感じさせる**」ことなのです。

■魅力と「長所」

初歩的な誤解のもう一つは、欠点が無くて長所ばかりあれば魅力的な人物になる、という思い込みです。若くて綺麗で優しくて頭がよくて上品で趣味が良くて運動神経が発達し、行動力があるように描ければ、魅力的な人間像が出来上がる、と思うのはとんでもない勘違いです。実際にそんな人物の出てくる小説があったとしても、ちっとも面白くないでしょう。

例えば、栄養は満点でも美味しくない料理がありますが。逆に、栄養が無いどころか身体にはよくないのに美味しい料理もあります。栄養と味とは別のように、人の長所欠点と魅力の有無とは別ものなのでしょう。

長所が魅力を増し、欠点が魅力を減らすのではなく、欠点も長所も、ある場合には魅力的になり、ある場合には魅力的でなくなるのです。こんなことはわかり切ったことなのですが、案外盲点になることがあるようです。

事実、小説の中の魅力的な人物は、「欠点がない」人物ではなく、むしろ**「欠点が魅力的」**に描かれている場合が多いのです。

例えば太宰治作「人間失格」の大庭葉蔵（おおばようぞう）について考えてみましょう。彼の人間恐怖は、彼が生きて行くためには決してプラスにはなりません。現に作中ではそれが彼にさまざまなアクシデントをもたらし、周囲の人々を傷つけ、ついには彼自身をも破滅させてしまいます。その意味で、それは明らかに彼の欠点と言えましょう。しかし、この作品の魅力、そして主人公大庭葉蔵の魅力は、まさにその彼の欠点そのものから発しているのは明らかでしょう。

こうした例は、小説の世界ではそれこそ枚挙に暇（いとま）がありません。

念のため付記すれば、それぞれの人物に「欠点があるから」魅力的なのではなく、それぞれの人物の「欠点が作者によって魅力的に捉えられているから」魅力的になるのです。

魅力と「作者」

どんな人間のどんな部分を魅力的だと感じるか、ということは、どんな場合にも決まり切っているわけではありません。むしろそこにこそ、それぞれの作者の個性が最も発現する部分だとも言えるでしょう。人間の新しい魅力の発見が、小説の存在理由なのかもしれません。

更に言えば、どんな人間のどんな部分に魅力を感じるかに、作者の思想が現れるのだ、とも言えるのではないでしょうか。

たまたま先日、次のような記事を目にしました。落語家である先代の三遊亭金馬(さんゆうていきんば)師匠が、弟子に向って「噺家(はなしか)がこすっからいと、噺に出てくる人物すべてがこすっからくなる。だから、まずおまえの人間をつくれ。噺をおぼえるのはそれからだ」と諭(さと)したそうです。

この言葉は、次のように言い換えることも可能なのではないでしょうか。「作者がこすっからいと、登場人物すべてがこすっからくなる。だから、まず作者の人間をつくれ。小説を書くのはそれからだ」と。

5

神は細部で罰したまう

ディテール

細部の躓き

「神は細部に宿りたまう」という格言は、よく知られていますが、私は同じことを、こう言い換えたくなります。

小説というものは作り話だ、ということは、いちおう小説の前提条件になっています。（私小説のような例外はありますが。）それにもかかわらず、小説の世界では、作品と事実との関係が常に重視され、論議されます。

それは何故か、と考えると、私はこう言わざるを得ないのです――神が宿りたまうのは「事実の細部」だからだ――と。だからこそ、小説を書くものは、取材なり体験なりで、事実に触れなければならないのだ、と。そして、そういう手間暇をかけていない安易なフィクションに対しては、神は細部で罰したまうのです。

ストーリーとかシチュエーションとかについては、力のある作者はけっこう見事にフィクションを創出出来ます。しかし、フィクションの能力のある作者であればあるほど、その人は細部で躓く（つまず）可能性が大きくなります。その躓きかたには二通りあります。

■うっかりミス

一つは、端的に矛盾や書き落としが生じてしまう場合です。

創作講座受講者の「かっこう」という作品は、妻に家出された腕のいい左官が、幼い娘を連れて見知らぬ町の駅に着くシーンから始まります。二人は新しい雇主の許へ赴こうとしますが、なかなか訪ね当たりません。彼はひたすら番地を調べたり、通行人に尋ねたりして、やっとたどり着きます。足手まといの幼女を抱えた一人暮らしの職人の苦楽や哀歓が温かく周到に描かれた好短編なのですが、ところで、これを読んだ人々のうちから――これは現在に近い年代の話なのだから、たとえまだ携帯電話は普及していなかったとしても、公衆電話はあちこちにあるはずなのに、主人公はなぜ先方へ電話して道筋を尋ねなかったのか？――という疑問が発せられました。たしかにこれが実際の話だったら、まず相手に電話を掛ける、とか、電話番号を調べる、とかいった細部が当然真っ先に登場するでしょう。しかし、これはフィクションのシーンだったので、作者の念頭から電話の存在がうっかり抜け落ちてしまっていたのです。

また、別の描き手の作品では、あるシーンで足をくじいた人物が、その直後のシーンで誰かに駆け寄って行き、全然痛がらない、などということが起きてしまいました。あるいは、真夏の炎天下をさんざん歩き回っている人物の描写に、汗についてまったく言及されていない、というような不備が生じたりします。その話の内容やストーリー展開に汗は関わりがない場合にも、やはりこういう書き落としは、読者に違和感を与え、小説全体を嘘っぽくチャチなものに思わせてしまいます。

変な譬えですが、刑事が被疑者の尋問をする際にも、供述の細部を繰り返し繰り返し尋ね直し、確かめ直すことで、その細部の矛盾の発見に努めます。被疑者はついにその細部によって見破られ、罰せられることになるわけです。

■「それらしさ」だけ

細部での躓きかたの第二は、フィクションで小説を描く時、往々にしてその細部はそのシーンにとって何の矛盾も書き落としもない、いかにもありそうな細部ばかりなのだが、しかし、すべての細部が当たり前で、違和感もないが新発見もない、というふうになりがちなことです。そういったいかにもそれらしい細部ばかりだと、そこには「**それらしさ**」があるだけで、「**真のリアリティ**」はありません。

それにひきかえ、事実の細部には必ず、ただの想像では思い付きもしないような意外さがどこかしらに付きまとっています。そういった意外性が、リアルな事実らしさを我々に感じさせるのです。

「必然性」と「一回性」

読者が小説のあるシーンにリアリティを覚えるのは、一方ではそんなことが実際に起こってもおかしくはない、という「**必然性**」を感じ取ると同時に、そのシーンには、他の時、他の場所での同じようなシーンには決して無いものがある、という「**一回性**」を感じ取る場合ではないでしょうか。いわゆる**リアリティとは、こうした「必然性」と「一回性」とが合体したもの**なのです。

ある小説に――母親の臨終を見守る主人公が、窓外の交差点を車が曲がるたびにそのヘッドライトが一瞬病室のカーテンをかすめるのに気を取られ、その間隔が何秒おきかをその都度腕時計で確かめずにはいられない――という描写がありました。目前に迫る母親の死というメインテーマとは何の関連もないこの細部が、それにもかかわらず、むしろこの臨終シーンにインパクトとリアリティを生み出しているのは言うまでもありません。もしこの場合、いかにも臨終のシーンにありがちな、家族の沈鬱な表情とか、吸入用の酸素の泡の音、密やかな看護師の足取り、などといった、いわば「必然性」の感じられる細部だけがあって、こうした「一回性」の細部がなかったとしたら、どの臨終とも違う、この臨終だけのリアリティは生み出せなかったことでしょう。

ドストエフスキーの「白痴」の一節に、こんな挿話があります。ある令嬢が、自分のついたちょっとした嘘が見破られた時、こんな感想を述べます。


「〔……〕嘘をつくときに、何かしらとても奇抜な、とっぴなことを、つまり、その、なんですわね、とてもぎくっとするような、とてもありえないようなことを、ちょっとうまいぐあいにはさむと、その嘘が、ずっとほんとうらしくなるからですわ！　あたくしそれに気がついたんですけど、ただうまくいきませんでしたわねえ。〔……〕」（木村浩訳）

ここに述べられているのは、私のいわゆる事実の一回性についてというより、むしろその悪用について、ですが、ともあれ、この令嬢の言葉には、事実の細部というものの特徴の一つについてのある洞察がこめられています。ここでまた、この言葉の中の「嘘」を「フィクション」と言い換えてみて下さい。「フィクションで何かを描くときに、何かしらとても奇抜な、とっぴなことを……とてもありえないようなことを、ちょっとうまいぐあいにはさむと、そのフィクションが、ずっとほんとうらしくなる」と。

俳人の青木泰夫が、俳句の要諦(ようてい)は「日常の中の一回性」だ、と喝破(かっぱ)しています。また、私小説作家の川崎長太郎も——どんな小さな石でも、世界中に一つしかない。その「一つしかない」というところを書くのが小説だ。それは描かれる対象にも、描く自分にも言えることだ。——といった意味のことを述べています。これらのコメントの意味も、私の言う「神の宿る細部」に通じているのだと思います。

■細部は事実から盗め

敢えていえば、フィクションの作品の中の細部は、事実の中から盗み出して利用するにかぎる、と私は思います。プロメテウスが神の手から火を盗み出して人間に与えたように、作家は、神の宿る細部を、神の手から……つまり事実の中から盗み出して、読者に与えればいいのです。自分の体験の中や、見聞、取材の中から、そういった細部をいかに沢山コレクション出来るか、が重要なのです。

■寅さんと田所康雄

創作講座受講者の「道」という作品は、人気(ひとけ)のない路上でガス欠のためエンストしたマイカーの中で雨に降りこめられてしまった男の意識の流れを、シャープで繊細な感覚で辿った好短編です。男の意識の大きな部分を占めるのは、夜泣きのひどい赤ん坊を妻と共に持て余した寝不足の一夜の回想です。一つ一つがまるで小さな宝石のように惜しげもなくちりばめられたその細部のうちには、しかし主人公の男にではなく、その妻にこそ相応しいと思えるものが時折混ざります。つまりどう見ても男でなく女の感性が感じられてしまう細部なのです。この作は、人妻である作者の生活体験の一端を、視点を男の側に移し変えてうまく生かしたものだろうと思われますが、その際、男の主人公の感性として描かれる細部の中に、時として女の作者の感性がそのまま混入してしまうのでしょう。

田所康雄（たどころやすお）という人物をご存じですか？　と訊かれても、はて？　と首を傾げる方が多いと思いますが、前にも触れた「男はつらいよ」のフーテンの寅を演じた俳優渥美清（あつみきよし）の本名だ、と申し上げれば、ああそうか、とうなずかれるでしょう。これを譬えに使えば、「道」という小説は、いわば主人公の寅さんを演じている渥美清の演技の中に、時折寅さんではなくて田所康雄のナマの表情やしぐさや口調が混ざってしまうようなものでしょう。もちろん、映画の撮影でそんな事が起こったら、たちどころに監督からＮＧが出て撮り直し、ということになります。

小説の場合でも、作者はそれを書いている時は、その描写の視点の持ち主である主人公として演技していなければならないのです。その場合、もしうっかり混ざってしまった作者自身のナマな感性が、どんなにビビッドで魅力的であろうとも、それは寅さんの代わりに田所康雄が出てしまったのと同じように、やはりNGを出さなければならないでしょう。

こうした問題は、作者と主人公の性別が違う場合に起こるだけではありません。

同じ作者の「ドールハウス」には、高層マンションの最上階近くに転居した人妻の日常が、鮮烈でデリケートな細部をちりばめて描かれています。彼女の住まいから近い階に暮らす、彼女の娘と同年輩の驚くほど美しい幼女とその母のコンビと知り合ったことから、物語は動き始めます。わが娘を王女様のように飾り立て自分はその侍女（じじょ）のように粗末な服でひたすら傅（かしず）く母親と、あまりに美しく愛らしいその娘とを見ているうちに、ヒロインはふとその幼女を傷つけてやりたい衝動を感じ始めます。こうして、小説は繊細でどこか危うげではあるがノーマルな日常から、いつしか微妙でアブノーマルな非日常の世界へと移行して行きます。

ところが、小説が進行して行くにつれて、読者はなにかしらかすかな違和感を感じ始めます。それはつまり、ヒロインの中に、そんな非日常的な世界に入り込んでゆく人間と、そんな事には初めから無縁な日常性の中に終始漬かり続けている人間とが、まるで一人の中に二人の人間がいるかのように混在しているのを感じてしまうからです。

この場合、小説の舞台はおそらく作者のかつて実際に住んでいた場所で、ヒロインも作者がモデルになっているのでしょう。しかし、作中の他の登場人物や起きた出来事はフィクションなのだとすると、ヒロインは、たとえ作者がモデルになっているとはいえ、小説の中では、作者の実生活とは違う体験をし、違う感情を味わっているはずです。つまり、出発点では作者イコールヒロインでも、フィクションの小説の中を生きている間に、ヒロインは作者と違ってきているのです。

ところが、この作者にはそこの区別がはっきりついていなかったために、小説の中で作り上げられた世界で生き感じているヒロインの中に、小説の外の実生活で生き感じている作者の現実の生活感情が混ざり合ってしまったのではないでしょうか。つまりここでも、寅さんに田所康雄がまぎれこんでしまったのです。

私は「細部は事実から盗め」と前述しました。しかし、それはあくまでも「盗め」なのであって、けっして「細部は事実から移動させろ」ではないのです。事実から盗んできた細部を、フィクションの中で選別し、鋳直し、フィクションと矛盾しないものへと加工し、犯跡をくらましてしまう必要があります。つまり「道」や「ドールハウス」の例は、盗品の証拠湮滅が不十分、ということになるのでしょう。

「調和」と「対比」

ここでちょっと角度を変えて、シーンと細部の関係を考えてみましょう。

少々突飛な例ですが、落語の怪談噺を想起して下さい。シトシトと五月雨の降る黄昏どき、どんよりと濁った沼の傍らに柳の老木が濡れそぼり、折しも古寺の鐘がゴオーンと鳴って、ねぐらへ帰るカラスが一羽、寂しく鳴きながら飛び去ると、ふと生暖かい風が頬を撫でる……といったような細部の積み重ねのあげく、いよいよ幽霊のご登場となります。このような「五月雨」「黄昏」「濁った沼」「濡れそぼった柳」「古寺の鐘」「飛び去るカラス」「生暖かい風」といった細部は、すべてが寂しく陰鬱で薄気味悪い雰囲気という、同じトーンに貫かれています。その意味でこの七つの細部は幽霊のシーンと「調和」している、と言えます。

同じように、よくあるパターンとして、小説の主人公が初めて愛を告白するシーンを、晴れた晩春の夕暮れ、湖面にきらめく残照、どこからか漂ってくる花の香り、二人の頭上にさざめく松籟……などといったようにロマンチックな情緒で細部を統一しようとする例が見られます。これも細部をシーンと「調和」させる試みの一つでしょう。

これは、絵画に譬えれば、近景の人物の服が青かったら、中景の山小屋の壁も青系統の色に、そして遠景の山稜も青っぽく霞ませる、といったように描くのと似ています。そうすれば、画面全体が青っぽく「調和」がとれて、落ち着いた絵になるでしょう。

しかし、絵画の場合でも逆に、例えば青い服の人物の背後に赤々とした夕焼けが燃え、それを背にして黒々とした稜線のシルエットが浮かび上がる、といった描き方も有り得るわけで、そんな場合は、それぞれの色が「対比」によってくっきりと鮮やかな印象を、観るものに与えるでしょう。

小説の細部でも、「調和」ではなく、このような「対比」を目指して組み立てられる場合も有り得ます。

創作講座受講者の「ふるさと」という作品では、若い女性建築士と現場監督とが初めて愛を交わす場所は、真夏の、シートで覆われ、打ちっぱなしのコンクリートと鉄骨がむき出しになった、建設中のビルの三階のだだっ広いフロアーです。コンクリートと焼けた金属の臭いの籠った無彩色の荒涼たる空間で、遮音材のウレタンフォームの上で汗まみれになって交わす初めての愛の営みは、「調和」という観点から見たら、これほど調和しない細部の取合わせもめったにあるものではない。しかし、その不調和が読者に与える印象はといえば、それは決してマイナスのものではなく、むしろそれが二人の愛の激しさを鮮烈に読者に印象づける効果を上げています。むしろ、前述の――晩春の夕暮れ、湖への残照のきらめき、花の香り……といったような「調和」志向のシーンよりも、読者へのインパクトはこっちの方が強いかもしれません。このケースなどは、細部とシーンの「対比」がうまくキマった例と言ってもいいのではないでしょうか。

もう一人の受講者の「パラダイスにて」は、横浜の庶民的なエステ店にイエス・キリストが立ち寄るという奇想天外な物語ですが、キリスト再臨という非日常的ファンタジーを描くために、作者は徹底的に日常的でリアルな細部を積み重ねます。常連客のラーメン屋の従業員のおばさんは割烹着と長靴姿でイエスのために蒸しタオルのお湯を大量に沸かし、女主人はマッサージ用のクリームでイエスの足をべたべたにしてしまいます。そうした細部にはファンタスティックなムードも神秘的な浮揚感もなく、あるのは身も蓋もない日常性だけです。ところで、ストーリーにとってはこの上なく不調和なそうした細部は、この小説を損ねているかというと、逆に奇妙な生々しさと滑稽さの中からなんだか切ないような真情がひしひしと読む者に伝わってきて、これはこれでまた独特な感動を読者にもたらします。この例もまた調和ではなく対比の効果がうまく働いたと言えるでしょう。

要するに、細部とシーンの組み合わせも「調和」の観点からのみではなく、「対比」の観点からも考えてみる必要があるのです。

細部は主題を揺るがす

細部と全体、細部とプロット、細部とシーン、細部と細部、といった関係を、ここまでは、細部は全体を支え補強するもの、というように、細部を従属的に捉えているかのような言い回しを、してきたかもしれません。しかし、両者は、必ずしもそんな主従の関係ではなく、もっとダイナミックな、いわば弁証法的な関係なのではないでしょうか。

「小説の細部は、作者の（その作品に）与える『意味』を超えるものだ。」「（個々の細部の）表現自体の生気が主題を包み隠してしまわねばならない。」これは文芸評論家の秋山駿（しゅん）と川村二郎のそれぞれの文章の一節です。

その間の事情を具体的に検証するために、例えば、島尾敏雄の「死の棘」のよく知られている一シーンを挙げてみましょう。

神経を病み、夫の不倫をとめどなく責める発作に取り付かれた妻と、必死になって彼女を鎮めようとする夫との間で、まだ学齢まえの息子とその妹が、その巻き添えになり、

〔……〕食事はそのままになり、伸一〔息子〕は、

「カテイノジジョウ、カテイノジジョウ」

とマヤ〔妹〕に目くばせして、白い目をつくり、親たちに、

「カテイノジジョウはやめろ！」

とことばを投げつけるが、もうとどめようがない。


そして、妻は死ぬと口走り、夫は自分こそ死ぬと喚き、その都度幼い息子は母を抱きとめ、次に父を抱きとめる、といった修羅場のあげく、やっと妻の発作がおさまり、

〔……〕妻は大きなあくびをするのだ。

「ワイワイワイ、ワイワイワイ」

伸一とマヤが狂気のようによろこんでとびまわり、

「おかあさんがアクビをした。終った終ったもう終った！　カテイノジジョウが終ったんだ」

と言う。

命を捨てる覚悟で結ばれた特攻隊長との恋が発端となった夫婦生活の、永年の献身と愛を裏切られた妻の絶望と苦悶、裏切った夫の自己処罰の衝動、男女の業の絡まり合いの無間地獄を描いたこの小説の、まるで出口のない迷路の中を夫婦でどうどうめぐりしているような救いのない陰鬱なこのシーンの中で、この細部の「カテイノジジョウ」はまったく場違いなおかしみをにじみ出させています。

もし細部が、そのシーンのテーマや意味に従属し、それを補強するためにあるのだったとしたら、ここでは幼い子供の怯えた表情とか途方に暮れた涙とか青ざめた頬とか、そんなものを描いたほうが趣旨に合っていたはずです。ところが、ここにはそんな描写はありません。「カテイノジジョウ」という言葉は、この作品に描かれている時代を、このギャグが流行語になった頃として設定する役割も果たしているのですが、それにしてもこの細部は、このシーンの救いのないムードを助長するというよりは、むしろぶち壊している、と言っていいでしょう。

しかし、それによって、このシーンの魅力はどんなに増していることでしょう。夫婦のやりきれないモノトーンの世界に、この言葉は生身の幼児の活き活きした生態を割り込ませ、それが、かえってそんな状況のなかでの幼児のいじらしさ、痛々しさを読む者に感じさせます。

それと同時にこの言葉は、当人たちにはこの上なく深刻で悲劇的な状況も、ひとたび視点を変えて赤の他人の目で見れば、所詮（しょせん）それもまた一種の「家庭の事情」に過ぎない、という事実を読者にふと気付かせてしまうのです。

こうした幼児のリアルで愛らしい言動、あるいは読者の意識を当事者からふっと外すような効果……そういった、そのシーンの主題とは裏腹な効果をもたらす細部は、しかし、それによってそのシーンの力を殺（そ）いでしまうのではなく、逆にその主題だけでは生み出しようのない深みと味わいで、シーンをカラフルに彩ってくれます。夫婦の言動だけだったら、読んでいて心が萎（な）えてくるばかりのこのシーンに、ふっと別の明るい照明を当て、別の味わいを添えてくれるもの……それが細部というものです。

かくて小説の良き細部は「作者の与える意味を超え」、その生気は「主題を包み隠してしまう」のです。

■豊饒と冗漫

良い作品には、どんなに悲惨な事が書かれていても、そこにはどこかに悲惨の豊饒さのようなものが感じられ、苦悩には苦悩の豊饒さ、挫折には挫折の豊饒さ、悲しみには悲しみの豊饒さが感じられます。そういった豊饒さこそはほかならぬこうした細部から生まれてくるのではないでしょうか。

では、主題と必ずしもマッチしない細部を沢山盛り込みさえすれば、それだけ小説は豊饒になるか、と言えば、決してそんな事はないのは言うまでもありません。ただ単に細部を増やせば、その結果は豊饒ではなく、冗漫になるだけです。

チェーホフにこんな言葉があります。「書く技術、それは切り詰める技倆（ぎりょう）である。」「簡潔は才能の姉妹である。」

書く技術とは冗漫な部分を切り詰める技術であることは、まさにチェーホフの言う通りです。

では豊饒をもたらす細部と冗漫をもたらす細部とはどこがどう違うのでしょうか。

……これはもう、それぞれの作者のセンスの問題としか言いようがありません。その作者が、自分の日常のどんな細部に面白みを見いだし、どんな細部を無意味と感じて暮らしているか……そういったその人の生き方全体、ある意味では人生哲学、思想信条にもかかわってくる、つまり文章とか小説の問題を超えた、その人の生きるセンスそのものが、小説の細部の豊饒と冗漫とを見分ける決め手だ、ということになるのでしょう。（もっとも、そう言ってしまえば小説の技術全体がそうなのであって、どんな人でも所詮、自分の「器」以上の作品は書けないのですが……）

そういった前提の上で、なお敢えて言えば、豊饒な細部とは、そこになにかしら人間についての新発見の断片が潜んでいる細部である、とは言えるのではないでしょうか。そして、だからこそ、そんな細部は、事実の中から盗んで来るしかないのだ、とも言えるのです。

6

無声映画のつもりで

会話

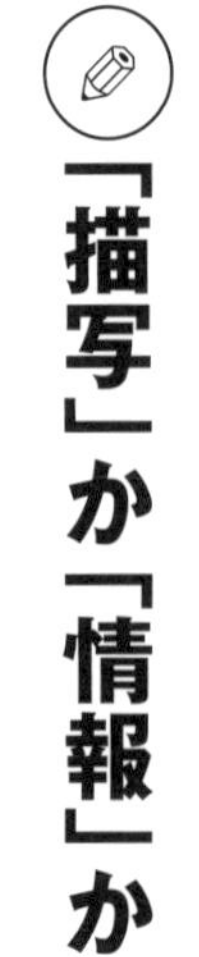

「描写」か「情報」か

仮にある作品に、作中人物の、「まあうれしい」という会話があったとします。ところで、この会話には、二つの場合があります。それは、

「まあうれしい」とうれしそうに言うのと、

「まあうれしい」と不快そうに言うのとです。

前者の場合は、この会話は、その人物がうれしがっているという「情報」を作中の相手と読者とに伝えるため、という要素の強い会話です。しかし後者は、実際にはうれしくなかったのですから、これは情報のための会話ではありません。むしろ、うれしくもないのにうれしいと言うその人物の、ちょっと屈折した心理や性格を「描写」するための会話になります。つまり、同じ会話でも、場合によって、「**情報としての会話**」になったり、「**描写としての会話**」になったりするわけです。

■「描写」としての会話

これは小説ではなく、映画の中のセリフですが、小津安二郎監督の「東京物語」で、笠智衆扮する老父が、東山千栄子扮する妻の急死に遭った翌日の夜明け前、一人で近くの海岸へ出かけ、心配して迎えに来た原節子扮する亡き息子の嫁に、

「いい日の出だったァ。今日も暑くなるぞォ」とさりげなく語ります。

この場合、この会話が表現しようとしているのは、日の出の美しさでもなく、今日の暑さの予想でもないのは言うまでもありません。永年連れ添った妻に突然先立たれた老人が、まんじりともせずに一夜を過ごした払暁に、そっと寝床を抜け出し、人気のない海岸で日の出を眺めている。その胸に去来するさまざまな思い……数十年に亘る妻との暮らしの思い出の数々、独り残されたこれからの暮らしの寂寥への思い……それらは、先日東京を訪れて、わが子たちの冷淡さを味わったあとだけに、なおさら身にしみるものだったはずです。この老父のセリフは、ほかでもない、こうした彼の思いそのものを表現しているのでしょう。

もう一例……これはチェーホフの戯曲「かもめ」の中のセリフです。高名な劇作家に誘惑され、彼を追って家出し、今は彼に捨てられ、売れない女優になっている若い娘ニーナが、知人の家を訪れた劇作家に会いたくて、風の強い晩にこっそりやって来ます。しかし知人たちに顔を合わせる勇気もなく、庭にひそんでいると、かねてから彼女に片思いしている青年トレープレフに見つかり、彼が仕事部屋にしている客間に招き入れられます。

〔……〕ここはいいわね、暖かくって、居心地がよくて。……あれは風？　ツルゲーネフにこんな文章があったわ、「こんな夜、家の屋根の下にいる者、暖かい片隅がある者はしあわせである」。わたしはカモメなの……いえ、そんなことじゃないわ。（額を擦る）なんの話でしたっけ？　そう……ツルゲーネフね。……「そして主よ、すべての寄る辺なきさすらいびとを助けたまえ」。……なに、大丈夫よ。（慟哭する）

そして彼女は、また風の吹く夜の戸外へ立ち去ります。

この会話の場合も、その目的は勿論、ツルゲーネフのある文章についての情報の伝達ではありません。最後の「大丈夫よ」というセリフも、彼女が大丈夫である、という情報を観客に与えるために挿入されているのではなくて、むしろ反対に、疲労、孤独、後悔、未練、不安にまみれた、まるっきり大丈夫どころではない彼女の深い絶望を表現するためにあるのでしょう。

このように、ドラマや小説の中の会話では、往々にして、その会話に含まれる「情報」と、その会話によって表現しようとする「内容」とは、ぜんぜん別物である……いや、正反対でさえある場合もあるのです。

「情報としての会話」の二重性

「情報」としての会話は、常に二重性を持っています。その会話は、一方では「作中人物」に情報を伝達することでその人物のリアクションを引き出し、それによってドラマを進行させます。と同時にその会話は「読者」へもその情報を伝達します。つまり、「情報」としての会話は**「作中人物への情報伝達」**と、**「読者への情報伝達」**という、二つの機能を持っています。

■作中人物への情報

前述の「かもめ」のラストシーンは、さきのシーンと同じ客間での、来客の一人ドールン医師の、同じ来客の一人への次のような台詞（せりふ）によって幕切れになるのはご存じの通りです。

〔……〕（声の調子を低めて、小声で）アルカージナさん〔トレープレフの母親〕をここから連れだしてください。実は、トレープレフ君がピストル自殺をしたんです……。

この会話は、話し手の心情を「描写」するためではなく、作中の相手に重要な「情報」を与え、それによって相手の顕著なリアクションを導き出すために存在するのです。それが同時に観客にも情報を伝達し、幕切れに深刻な後味を残すことになります。

■観客への情報

次に挙げるのは、古代ギリシャの悲劇作家ソポクレスの「ピロクテテス」の冒頭のセリフです。このシーンは、ギリシャ軍の二人の武将が島に上陸した直後から始まります。

オデュッセウス　これが海にかこまれたレムノスの岸辺だ、おとずれるものもない無人の島。アキレウスの子よ、ヘラスに勇名とどろく父をもつネオプトレモスよ、わたしがポイアスの子、ピロクテテスをここにおきざりにしてから、ずいぶん時がたつ。大将たちの命令で、やむをえずそうしたのだが、肉がくさる病気のためにやつの足はただれおち、あのときばかりは困ったな。

（久保正彰訳）

このセリフで「観客」は、この島がレムノス島であること、オデュッセウスの相棒がネオプトレモスであること、昔ピロクテテスがここで足を痛めてギリシャ軍に置き去りにされたことを知ります。同様に、以後の会話で、ピロクテテスを連れ戻さねばトロイとの戦いに勝てないという神託を受けたギリシャ軍が、そのためにこの二人を派遣して来たことを観客は知ります。こうしてドラマ設定が終わり、いよいよドラマ展開が始まるわけです。

ところで、もしこの会話を写実的な立場で検証するとしたら、まず、この会話の「話し相手」であるネオプトレモスにとっては、ここがレムノス島であることも、ピロクテテスが昔足を痛めてここに置き去りにされたことも、そもそも彼を連れ戻すためにはるばる派遣されて来たのですから、聞くまでもなく先刻承知のことです。また、自分がアキレウスの息子であることも、自分自身のことだからいまさら他人に教えてもらう必要はありません。つまりこの会話は、ネオプトレモスにとってはただの一言も必要のない、つまり実際には有り得ない会話なのです。

これは、形の上ではネオプトレモスが聞き手になってはいるが、実はすべて観客を聞き手として設定された会話なのです。時代や演劇概念の違いがありますから古代ギリシャ悲劇を私たちの時代の文学と一緒にして論じるわけにはいきませんが、仮に現代の尺度で評価するとしたら、この劇の冒頭は、「観客」への情報伝達を最優先にして、会話の持つ他の要素

（「劇中人物」への情報伝達や、会話の「描写」性）を無視している例と言ってもいいでしょう。

■会話の効用

ここまでは、便宜上、もっぱらドラマの会話を例にあげて述べて来ましたが、作中の会話の機能としては、こうした——描写、作中人物への情報、観賞者への情報——という問題は、小説にもそのまま適用出来るはずです。

ところで、会話というもののこうした機能の多様さが、会話を便利なものにしてしまい、それがひいては会話の安易な利用の仕方を促す場合があります。

この三つの機能は、本来は、どんな場合でも、一つの会話に三つとも含まれています。**「読者にある情報を伝達」**しようとする会話は、同時に必然的に作中人物にも情報を伝達してしまうから、当然「作中人物のそれに対するリアクションを生み出し」てしまうはずです。と同時に、その会話は描写としての機能も持っているから、その会話によって**「語り手の性格や心理を規定」**してしまうはずです。そんな時にそんなことをそんな相手に言う人間である、という形で語り手の人物像を描写してしまうわけです。ですから、正確に言えば、例えば情報としての会話、と一口に言う場合も、それは比較的情報伝達の要素の強い会話、という意味であって、その中には描写としての要素も多かれ少なかれ含まれているのは言うまでもありません。

それなのに、そういった会話というものの機能に対する配慮を欠いて、読者へある情報を伝えるためだけに会話を利用しようとする作者がしばしば見られます。作品のなかでの「状況設定」を読者に伝えるため、とか、あるいは主人公がこれこれの行為を行うについての「心理説明」とか、場合によっては作品の「テーマについての説明」など……とにかく作者が読者になにか「説明」したくなると、作中人物の会話を利用してしまう。もしも地の文で書くと、いかにも作者がしゃしゃり出て説明しているという印象を与えることも、同じ内容を会話の形でやると、なんだか「描写」っぽく見えてくる。そんな錯覚を利用したいのかもしれませんが、しかし、それは実は小説にとってはたいへん危険な作業であるということを、肝(きも)に銘(めい)じておきたいものです。

ある小説のなかで、互いに好意をいだき合っている若い男女が初めて遠出をします。次の一節は、その車中での若い女性の会話の一部です。

「〔……〕でも一時的な趣味集団や教室の中での人間関係と、労働から睡眠まで四六時中生活をともにする集団とはわけが違うんだということが解りました。一人一人の女性としてなら決してそうはならないだろう平均値以下の感情や知性水準に低迷してしまうものなのね。〔……〕」

（高橋和巳「我が心は石にあらず」）

この調子で彼女は延々と喋るのですが、もし本当にこんな会話を、若い女性が好きな男との初めての遠出の途上でするとしたら、彼女はよっぽどの変人か、または独特の心理からわざとやっているのか、どちらかでしょう。そして聞き手である青年の方も、そんな会話を聞いたら、びっくりするとか、うとましく思うとか、逆におかしがるとか、何かしら普通でないリアクションを起こすに違いない。ところがこの作者はべつに彼女を変な人間として造型したわけではないらしく、彼女はごく普通の性格と心理をもった、知的で教養豊かで正常な女性らしい。青年の方も、この会話によってべつに彼女のことを変な女だと思ったような気配も見えません。つまり、この会話は、「描写としての会話」としてみると、前述の「ピロクテテス」の冒頭に勝るとも劣らぬ、現実には有り得ない会話なのです。なんでこんな奇妙なシーンが生まれてしまったのか、と言えば、それは、作者が自分の意見を彼女に代弁させようとしたからでしょう。

つまり、小説の場合、会話の安易な利用法の一つとしては、作者が読者にある情報を伝達したいとき、それを勝手に作中の誰かに喋らせる。あるいは作者の意見を作中人物に（ときにはその何人かに分配して）喋らせる。そんなことをすれば、前述のようになにかしら変なところが出てきてしまうのは当然です。その人物の性格として到底言うはずがないようなことや、あるいはそんな状況の中で考えるはずがないような事を言い出したりする。

そんな弊害は、前述の小説における**会話の三つの機能、**――「**描写としての機能**」「**作中人物への情報伝達の機能**」「**読者への情報伝達の機能**」――のうち、最後の機能だけを、他の二つの機能と切り離して安易に利用しようとすることから生じるのでしょう。

「会話のない小説」から

映画監督の故黒澤明は、つねづねこう語っていたそうです。「ぼくは映画を撮るとき、サイレント映画だったらどう撮るか、と考え、それを出発点にしている」と。つまり、会話に倚(よ)り懸(かか)ってドラマを組み立てない、ということでしょう。あくまでも映像だけですべてを語り尽くす、という覚悟でもあり、語り尽くせる、という自信でもあります。会話がなくてもすべてが観客にはわかるのだが、それに会話が加わることでいっそう効果が高まる……つまりバックミュージックがなくてもドラマは観客にはわかるが、しかしミュージックによってなおさら感銘は増す、というのと同じです。

言い換えれば、観客への情報としての会話は極力避け、会話は、例えばコスチュームとか大道具か小道具のようなものとして用いる、ということでしょう。それは会話を軽視するということとは違います。黒澤監督が大道具や小道具におそろしく凝ったのはよく知られていますが、そういった意味では会話も極めて重視されていたのです。

小説の場合でも、書き手は会話について、同じような覚悟を持つ必要があるのではないでしょうか。つまり**出発点では自分の作品を会話のない小説として考える、**ということです。

すべてが地の文による「描写」だけによって成り立ち、「会話」も「説明」もなしに読者にわかってもらえるような小説。もしそういう小説にするのだったらどうしたら良いか、をまず考え、そしてその上で、その小説に会話を添えて行く。従って読者は、その小説の会話からは、物語を理解するために必要な情報を仕入れるのではなくて、その会話そのものの面白みや滋味を鑑賞するのです。つまり会話を、何かを「知る」ためにではなく、会話そのものを「味わう」ために読むのです。

ところで、現実の会話では、言い落としたり、言い直したり、前後が逆になったりしながら、やっと必要な情報が伝達されるのであって、流暢(りゅうちょう)にして簡潔な会話なんて、めったに有り得ません。そして、そうした不正確だったり滞(とどこお)りがちだったりする口調そのものに、その人の性格や心理が表現されているのです。それなのに、書き手によっては、ひたすら読者に正確な情報を簡潔に伝えたい、と念じつつ、まるでラジオニュースのアナウンサーのように流暢、正確、簡潔な会話を作中人物にさせてしまうことがあります。すると、描写としての会話という面からはまことに嘘っぽい会話になってしまう。これもまた留意すべきことでしょう。流暢、正確、簡潔は、地の文にこそ求められるべきものなのです。

尾頭付きと切り身

短編

「長・中編」と「短編」

小説とは「設定」が「展開」して「新局面」に至るまでの時間的経過を描くものだ――と前述しましたが（第二章「小説の構造」篇参照）、この構成法をそのまま短編に当てはめようとすると、たいへん窮屈なことになり、必要な記述のあちこちに「欠落」が生じたり、プロットの単なる「粗筋」の記述に終わったりしがちです。

例えば、小さな折りに大きな鯛の尾頭付きを詰め込もうとすれば、折りと同じ大きさにするために鯛のあちこちを切り取って四角くしてしまうか、さもなければ魚肉を削って骨だけを詰め込むか、する他はないでしょう。

長・中編が「尾頭付き」だとすれば、短編は「切り身」です。

「尾頭付き」の「頭」とは設定のことです。「尾」とは新局面のことです。頭から尾まで続く展開の経過が「身」でしょう。つまり、頭から始まって尻尾まで描くのが「長・中編」です。

（「長編」と「中編」の違いは、「小説の構造」篇で触れました。）

「切り身」とは、シーンのことです。本来長・中編にもなり得る話のシーン群全体のうち、一つのシーン、ないしは幾つかのシーン群を切り取って描くのが「短編」だ、と言えそうです。

それゆえ、**長編の決め手が、設定から新局面までの展開の把握の卓抜さにあるとすれば、短編のそれは、素材の一部を切り取る、その切り口の鮮やかさにある**、と言えるでしょう。どんな素材のどんな一局面を、どんな角度で切り取るか……そこに短編の成否が懸かっています。

また、短編は長編と比べて、使用される単語の量が、圧倒的に少ないために、一つ一つの単語の、作品全体に対する重要性は、短編では長編よりも遥かに大きくなります。短編ではただ一つの単語でもいい加減には使えず、文章の持つ意義が、長編とは比べものにならないほど大きくなるのは言うまでもありません。

■実例

譬え話や抽象論ばかりではわかりにくいかもしれません。ここで実作を一組例示してみましょう。

「黄落（こうらく）」（佐江衆一）と「百」（色川武大（いろかわたけひろ））は、前者は四百九十五枚の長編、後者は三十枚余の短編ですが、共に五十代の息子の視点から、両親や家族たちを、九十代半ばの父を中心に描いた小説で、高齢者問題が共通のテーマであるだけでなく、老母が転んで骨折、入院し、独りになった老父の世話を主人公たちが看ることになる、という発端まで奇しくも同じです。

■構造の比較

長編「黄落」の冒頭と比べてみると、短編「百」の特徴が、幾つか摑めてきます。

「黄落」では、第一シークェンスが終わるまでに七百八十行（一行二十四字）近い行数と、土曜から次の週の日曜まで、八日間の日数が費やされています。

また、この長編では、主たる人間関係が、主人公、妻、父、母という四人の間で成立するので、組み合わせが六通りになります。

「百」では、「黄落」とほとんど同じような設定にもかかわらず、

（1）全体が五百三十行（一行二十七字）ほどで、「黄落」の第一シークェンスよりコンパクト（約三分の二）。

（2）全体が一つのシークェンスで成り立っている。（「黄落」は多くのシークェンスが組み合わされる。）

（3）時間的経過が、ある日の夜半から次の日の夜までほぼ二十四時間（「黄落」の第一シークェンスは八日間）。

（4）登場者は主人公、父、母、弟、弟嫁の五人だが、母の登場は十行分程度。弟嫁も冒頭の電話を除けば十八行分程。弟に至っては十行に満たない。つまり、全体にはほとんど父と主人公という、一つの関係のみが描かれ、それ以外は出来るだけ省かれている。（「黄落」の第一シークェンスでは、怪我をした母を中心にして、六つの人間関係が描かれる。）

小説の中で、母の怪我が発端の「設定」だった場合、その「展開」は、「黄落」のように、母を中心にして描かれるのが当然でしょう。ところが、「百」では、敢えて母と、その怪我が、必要最小限度の言及以外はほとんど省かれています。

また「黄落」の中では最大の葛藤の源になる「父と母」「父と嫁」の関係が、「百」では共に省かれています。

つまり、長編「黄落」では、総ての人間関係を出来るだけトータルな形で捉えようとするのに対し、短編「百」では、父と主人公の関係にだけ焦点を当てようとしています。
また、「黄落」では、母の怪我という発端から次々に派生する様々な問題の総てにトータルに対応しようとしますが、「百」では、そのうちの「主人公が父の家に赴き、泊まり込む」という点にだけ問題を絞っています。（それによって老耄（ろうもう）によって崩れて行く父親像と、それに触発されて浮かぶ主人公の思いとが描かれます。）

まとめて言えば、長・中編は「設定」によって生ずる登場人物たちのそれぞれの人間関係にトータルに対応しようとするのに対して、短編はそのうちの一つにだけ的を絞ろうとします。

また、長・中編は、「設定」から生じる諸問題にトータルに対応しようとするが、短編は、そのうちの一つの問題のみを取り上げようとします。

更に、長・中編の中に流れる時間は必ずしも短いとは限らず、時には永い年月が経過するが、短編の場合には、例外を除けば作中の時間は概ね（おおむ）短い。

（もちろん、長・中編も小説である限りは、その作品のテーマに則して、人間関係やそこに派生する諸問題に「強調と省略」が加えられるのは当然ですが、しかしその作業が常に全体像を踏まえた上で行われるのに対して、短編では、全体像の「切り捨て」と「一部分のみの提示」が見られます。)

このように要約すれば、**長・中編は尾頭付き、短編は切り身だ、**という言い回しの内容が、かなりはっきりしてくるのではないでしょうか。

もっとも、長・中編に、ドラマ的に構築された作品(例えばドストエフスキーの諸大作)や、遍歴体(セルバンテスの「ドン・キホーテ」や紫式部の「源氏物語」)や短編連作的作品(ルナールの「にんじん」)や叙事詩的大河小説(トルストイの「戦争と平和」、ショーロホフの「静かなドン」)など、様々なスタイルがあるように、短編にも、随想ふう、コントふう、散文詩ふう、説話体、書簡体、その他一つ一つの作品ごとにスタイルが違うのは言うまでもありません。しかし、ここに述べた長・中編と短編との構造の違いは、とりあえず、どんな小説にも通用する、最大公約数的なものと思っていいでしょう。

一言付け加えておきたいのは、「小説の構造」篇で前述した「**曲がり角を捉えて描くのが小説だ**」という点は、短編でも同じだ、ということです。いかに切り身といえど、どこの切り身でもいいというわけにはいきません。曲がり角を大きくダイナミックに捉えるのが長・中編だとすれば、曲がる一瞬を鮮やかに切り取るのが短編だと言えるのではないでしょうか。真っ直ぐな部分は、どこを切り取っても、まるで金太郎飴(あめ)みたいに、切っても切っても同じ顔しか出てきません。

■短編の長さ

このように私が述べると当然、短編と中編との境目はどのくらいの枚数か、という質問が出るでしょう。それについては厳密に定義することなどは到底出来ないことですが、しかし、「**短編では持ちこたえきれない長さ**」とか「**中編には無理な短さ**」というものは現実に存在します。前者は、例えば砂場でママゴトのお皿の上に砂を盛ると、ある量になると砂が崩れてそれ以上は盛れなくなるのと同じでしょう。後者は、ママゴトのプリンを作ろうとしてプリンの容器に砂を詰め込んでみても、砂が少なすぎると型がとれないのと似ています。しかしその限度は、砂の質も砂の湿り具合も千差万別なので、厳密に決めることは出来そうもありません。小説の場合でも、書き手の資質や素材の傾向が千差万別なのですから、同じように到底厳密には決められません。

とても一概には言えないことですが、それを敢えて言えば、**ちょうど四百字詰め三十枚あたりが短編と中編を分ける境目**ではないでしょうか。ということは、三十枚は「最長の短編」にもなり得るし「最短の中編」にもなり得る、ということです。つまり、書きたい内容によって中編的に書いたほうがいい場合と、短編的に書いたほうがいい場合とがあって、書き手はまずその選択からスタートしなければなりません。そこが三十枚程度の小説を書くことの面白さでもあるし難しさでもあるのでしょう。

第四章「人間像」篇で引用した作品、「贈りもの」が三十枚ほどの作品だったことを想起していただきたいと思います。この作品は中編としては登場人物の多いわりには多角的な人間関係の描写が不足している（つまり、この枚数では書き切れない）、と前述しましたが、もしこれが三十枚の短編として書かれたとすれば、ちょっと事情が違ってくるわけです。この作品では、ごく普通の環境に育った十九歳の女子大生とヒッピーの残党グループとが、二つの天体が偶然触れ合ってまた宇宙の彼方へと別れてゆくような、その一瞬が、青春への懐かしみを込めて瑞々しく描かれています。この篇で私は、短編では「全体像の切り捨てと一部分のみの提示」が行われ、すべての人間関係のうちの「一部にだけ的を絞ろうとする」と前述しました。この作品では、すべての出来事は主人公にとっての意義という角度からのみ切り取られており、人間関係はほとんど主人公と各人物との、いわば人間関係の放射線に限定されています。そしてそれは短編として「意識的に」選ばれているのならば許容されることであり、事実この作品ではそれはなかなか成功しています。もし問題があるとすれば、そうした短編的な切り取り方の中に、いささか中編的な展開への志向が混ざってしまっていて、書き手の姿勢がどっちつかずな点なのではないでしょうか。そのために、せっかくの短編的な切り口の鮮やかさが、中編的な展開の不十分さによって相殺される傾向がある。いわばこの作品は短編的な手法で中編を書こうとしてしまった、と言えるのかも知れません。

ことほど左様なほど、三十枚の小説というものは、厄介でもあり、それだけに挑戦し甲斐もある、と言えるのです。

■「コント」と「掌編」

「長・中編」で必要なのは「設定から新局面までの展開」の把握の卓抜さであり、「短編」では「素材の一局面を切り取る」切り口の鮮やかさだ、と前述しました。いわば「長・中編」が時間芸術（たとえば音楽等）に近いとすれば、「短編」は空間芸術（例えば美術等）に近い、とも言えます。

その意味では、「コント」と呼ばれるジャンルは、短編の仲間と言うよりも、むしろ「長・中編のミニチュア版」と言ったほうがいいのかも知れません。コントには、どんなに短くとも設定から新局面までの展開があります。しかし、短い中で発端から新局面までの経過を描くためには、素材そのものが充分小さいことが必要でしょう。前述の尾頭付き（長・中編）と切り身（短編）の譬えになぞらえれば、**コントは金魚のような「小魚の尾頭付き」**

だ、と言えそうです。

それと対比すれば、いわゆる「**掌編**」**と呼ばれるジャンルは**「**短編のミニチュア版**」でしょう。掌編は、ほとんどの場合ワンシーンを見事に切り取る腕の冴えが必要です。いわば短編の手法の徹底化ですが、短編よりももっと短いのですから、当然切り取る前の素材そのものが小さいことが必要で、さしずめ「**小魚の切り身**」とでもいったところでしょうか。

「切り身」と「本体」

魚の切り身が存在するためには頭から尻尾まである魚の本体がまず存在しなければなりません。それと同じように短編小説が出来上がるためには、もし省略しなかったなら長・中編になってしまうような素材の世界が存在しているはずです。

「作るのと書くのとは違う」と前述しました（第三章「フィクション」篇参照）。ノンフィクションの心得として「十調べて一書け」とよく言われますが、フィクションの世界でもその事情は同じで「十作って一書け」というのが小説だ、とも述べました。この心得は特に短編小説では肝心なことです。

仮に、一組の男女が喫茶店で会っている、というシーンひとつだけで成り立っている短編小説があったとしても、作者は自分の心の中でその人物たちのそれぞれの年齢、職業、学歴、出生地、家族構成、過去の人生遍歴などを作り上げなければなりません。しかし、そうして作り上げたもろもろを全部書いてしまったら、短編にならないどころか、小説そのものにさえならないでしょう。喫茶店での二人のシーンの中には、そうして作り上げたフィクションのうちの一割も現れては来ないでしょうが、しかし、一枚の切り身のためには丸ごと一匹の魚が必要なように、一シーンの短編のためにはその十倍以上の創作が必要なのです。

短編では特にこの「**作って、書かない**」という作業が最も肝心で、しかも最も難しい点なのだと思います。短編を書くうえで最も犯しやすい過ちもそこにあるようです。

皆さんの実際の短編習作を読んで、いちばん懸念（けねん）を覚えるのは、短編とは「長いものをそのまま短くしたもの」という思い込みがあるのではないか、という点です。つまり内容は長・中編のものなのに、それをそっくり短い枚数で書こうとする場合がよく見掛けられます。そのために、

(a) 長・中編の粗筋だけ書く。あるいは長・中編の粗筋の所々に申し訳程度にシーンを幾つか混ぜる。あるいはあまり重要でないシーンの中で作中人物に回顧その他の形で粗筋を述べさせる。

(b) 各シーンの中で、必要な「描写」の一部を削除する。あるいは描写の中で必要な「言葉」の一部を削除する。（これは推敲（すいこう）や簡潔化とは違います。）

といったようなやり方が見られるのです。

(a) については、例えば老婆の一人称の語りの文体で、彼女のこれまでの人生行路を二、三十枚（四百字詰め原稿用紙）で書き切ってしまう、などという離れ業（わざ）をする書き手がいま

す。

少し小説について勉強した人がやりそうなやり方としては、例えば、新社屋の完成祝賀パーティーのシーンで、社長である主人公が、これまでの半生を回顧し、再びパーティー会場にシーンが戻って乾杯で作品が終わる、などという構成の短編を見掛けることがあります。この場合、いかにパーティーの描写が詳しくても、そのシーンは作品にとって決して重要なものではなく、ただ半生回顧に適当な「額縁」を提供する以上の意味はありません。むしろ、主人公がパーティー席上で回顧する半生の要約の方にこそ作品の眼目がある、となれば、その作品の本質は粗筋説明的作品となんら変わりはなく、それにいささか小説らしい形を整える工夫が施されているだけのことです。

それらの場合、書き手が上手ければ読者がその人生を「わかる」場合もあるでしょう。しかしその人生に感動したり、その人生を「追体験」したりすることは出来ません。読者をただわからせただけだったら、読者は「ああそうですか、わかりました」と言って去って行くでしょう。

(b)の場合は、なんとかして作品のボリュームを減らして短編らしくしようとする余り、各シーンはそのままにして、シーンの中で大切な描写を減らすのです。そうすれば確かに字数は減りますが、お陰でそのシーンは痩せた貧しいものになってしまいますし、時には話のつじつまが合わなくなってしまうことだってあるでしょう。

同じくなんとかして字数を減らそうとして、一つの文章の中で主語とか目的語とか、あるいは修飾語などのうちの一、二を削ってしまったり、本来二つの文にすべきものを強引に一つの文にまとめてしまったりするケースもよく見られます。

こんなふうに、描写を減らしたり言葉を減らしたりすることで、時には作品のボリュームを半分くらいにしてしまうことも可能です。仮に五、六十枚の作品を半分の二、三十枚にすれば、確かにボリューム的には中編を短編にすることは出来ます。しかし、これはいわゆる推敲とか簡潔化とかとは似て非なるものです。推敲や簡潔化は、不要な部分を削ることですが、この場合は、本来必要な部分を、作品を短くするために削るのですから、意味が違います。


短編化のためにこうした作品の縮め方をすると、それが本来あるべきシーンの豊饒さや、文章の滋味をむしろ劣化させてしまうのは言うまでもないことでしょう。

作品を短くすること自体を目的として文章を削るのは、本末転倒であることは言うまでもありません。作品をもっと良くするために削るのならいいのですが、短くすること自体を目的として削った作品が、削る前より良くなることはありません。

それぞれの作品にはその作品固有の最適の長さというものがあり、それは作者の都合でどうにでも変えられるようなものではないのです。

小説というものは、ストーリーだけがわかればいいというものではなく、それぞれのシーンのそれぞれの描写、それぞれの言葉——そういったものを一つ一つじっくり味わうべきものです。

■シーンと背景

一口で言ってしまえば、**「長・中編」の中心が「ストーリー展開」だとすれば、「短編」のそれは「シーン」だ、**と言えるでしょう。

しかし、いくらシーンだけと言っても、そのシーンを成立させるための背景とか要因とかは必要で、それは作者のプランの中には当然作り上げられていなければならないと前述しましたが、しかし読者にとってもそのシーンを理解するためには最低限度の情報というものは必要です。

たとえば、蕎麦屋(そばや)で一人の男が従業員と何かしらの交渉があった、というだけのシーンで、一つの印象的な短編小説が出来上がる場合だってあるでしょう。そんな場合でも、やはりそのシーンの背後には、男の年齢とか職業とか時代とか季節とか、そのシーンの中には現れて来ないが、読者がそのシーンを鮮明に受け止めるためにはどうしても最低限度必要な情報はあるでしょう。

従って普通、短編は、その核心としてのシーン（A）と、それを成立させる背景についての情報（B）との、二つの部分によって成り立っています。

このAとBの組み合わせによって成り立っている短編小説と、前述の誤った書き方の（a）に述べた、回想的な要約を現在の具体的シーンで挟んだ、いわゆる「額縁小説」ふうのケースとは、一見似ているように思えるかもしれません。しかし、本来の短編小説では、メインはあくまでもAなのであり、Bは可能な限り少なくするように努力しなければなりません。その究極の形として、Bの部分がゼロの短編小説というものも有り得るでしょう。しかし、（a）の場合の「額縁小説」では、内容的にも比率的にも要約的なBの部分が作品のメインになっているのです。この二つの場合が本質的に違うのはおわかりいただけると思います。

8

文は顔なり

文体

文体の意義

名文

いつぞや、ある書き手から、「参考までに、自分の作品の文章のどこでもいいから、短い一節を模範的な名文に書き直してみせてもらえないか」という依頼を受けたことがありました。

その人は文章歴も永い、練達の書き手だったので、私はなんだか自分の思考パターンの盲点を突かれた思いがしました。わかり切った当然の前提だと私が自分で決め込んでいたことが、実際には必ずしもそうではないのではないか、と反省したのです。

文章の場合には、例えば誰かの文章の一部を、もし私が自分にとっていちばん名文だと思う文章に書き改めることが出来たとしても、それは、あくまでも私にとっての名文なのであって、その書き手にとっては名文でもなんでもなくなってしまいます。

どうしてそうなのか、ということを改めて説明しようとすると、これが案外難しい。

考えてみれば、私たちが何かを学ぶときには、例えばお習字でもお料理でも、まずお手本があり、それに自分の作品を近付けようとすることから勉強が始まります。「学び」は「真似び」だそうです。また、例えば冷蔵庫を買うにもボールペンを買うにも、様々な機種の様々な機能を比較して、最もいいものを選びます。ですから、良いボールペンが誰にとっても良いボールペンであるように、文章の場合でも誰にとってもいちばんの名文がある、という発想法の方がかえって普通なのかもしれません。

しかし、文章というものは、もし譬えるとしたら、冷蔵庫やボールペンよりも、人間の顔になぞらえた方がいいのかもしれません。たしかに美しい顔とそうでない顔とがあります。しかし、例えばクレオパトラの顔がいかに美しかったとしても、すべての女性がクレオパトラの顔になったら、どうでしょうか。そうなったら、顔が顔としての意味を失ってしまうのではないでしょうか。

人の顔が、善かれ悪しかれそれぞれ他人と違うことに、顔としての存在意義があり、ある意味では顔がその人間そのものでもあるように、文章も、それ自体が作者そのものなのだ、とも言えるのではないでしょうか。

■文体例比較

たまたま私は、必要があって横浜港が出てくる小説を読み較べたことがあります。その時、同じ横浜港の描写でも、作家によってこうも違うか、と強い印象を受けました。その幾つかを、ここでご紹介してみましょう。

(a) 残された二人は、緩(ゆる)い足どりで、ニュー・グランドの横から、海岸通りへ出た。山下公園の樹間に、赤や緑のデペンデント・ハウスの屋根が見え、入口には、白い鉄兜の男が立っていた。〔……〕返還されたばかりの大桟橋(サウス・ピーア)は、人の影が多かった。用がなくても、七年振りに、馴染みの深いメリケン埠頭場(はとば)に、足を運んでみたい横浜人も、あるのだろう。〔……〕埠頭の突端へ出ると、鉄と潮の匂い、飛び交う鷗(かもめ)――懐かしい港内の風景が、眼前に展(ひろ)がった。朝鮮動乱の影響で、入船が多く、日本の軍艦よりやや淡い灰色に塗られた軍用船が、幾隻も碇泊していた。

(獅子文六「やっさもっさ」)

（b）

彼の前にある海は、拡げた両手で抱え取れるくらいの大きさである。右手には、埠頭が大きく水に喰い込んで、海の拡がりを劃っている。〔……〕左手には、長い桟橋がみえる。横腹をみせた貨物船が、二本の指でつまみ取れるほど小さく眼に入ってくる。貨物船は幾隻も並んで碇泊しているので、白い靄の中に重なり合った帆柱やクレーンが、工場地帯の煙突のようにみえる。〔……〕夕焼はその色を濃くして、水の面も赤かった。港の中の海なので、波は静かだったが、それでも防波壁の下の水は小さく波立っていた。藻や木屑や塵芥が黒ずんで打寄せられ、たぶたぶと揺れていた。〔……〕眼の前に、塔が立っていた。塔の胴の中を、黄色く灯をともした昇降機が、上下しているのが見えた。最近建てられた観光塔なのである。

（吉行淳之介「砂の上の植物群」）

（c）

〔……〕丁度高島埠頭のE岸壁に碇泊している、一万トンの貨物船洛陽丸の見学に行った。〔……〕夏雲の湧き起る空は、船と船との纜の交叉に区切られていた。船首は限りなく高く、恍惚とした薄い顎のような形に仰向き、その頂に緑地の社旗がひらめいていた。錨は高く引き揚げられ、錨穴のところに大きな黒い鉄いろの蟹のようにとりついていた。〔……〕公園には人影がなく、マリン・タワーの赤と緑の旋回燈の光芒が、広場のからっぽの石のベンチや、水呑場や、花壇や、白い石階の上を経廻っていた。〔……〕沖の積乱雲は夕立を呼ぶほどに嵩高ではなかったが、折からの西日を受けて、純白の筋肉の精緻な緊張のさまをくっきりと彫り出していた。

（三島由紀夫「午後の曳航」）

　とりあえず、この三つの文体を比較してみるだけでも、それぞれの作家の特徴がはっきり認められると思います。愛読者なら、名前を見なくても文章を読むだけで作者を当てることが出来ることでしょう。

　違いは読めば一目瞭然ですが、敢えて蛇足を付け加えれば、（a）は、固有名詞が無造作に頻出することと、書かれた時点（この場合は一九五二年）の時代性がはっきり出ていることが特徴ですが、同時にその描写が必ずしも特定の日の特定の時刻の特定の人間の視点にしか通用しないものではない、と言えます。その意味ではやや説明に近い文体とも言えるかも知れません。それにひきかえ、（b）では、明らかに大桟橋やマリン・タワーとわかる対象も、すべてただ「塔」や「桟橋」としか記されていません。また、その描写は特定の時刻（夕暮れ少し前）の特定の人物からの視点に限定されています（両手で抱え取れるくらいの大きさの海、とか、二本の指でつまみ取れるほど小さく眼に入ってくる貨物船とか）。そしてどちらかといえばデカダンスな作風と思われているこの作者のイメージからみると、意外なほどその筆致はドライです。そして（c）では、（a）と同じくらい固有名詞（高島埠頭、マリン・タワー）を出しながらも、警抜な比喩（顎、蟹、筋肉）を連発することで、その情景の客観描写というよりは主観的な印象（限りなく高く、恍惚とした、精緻な緊張）を鮮やかに表現しています。

こうして比べてみるだけでも、まさしく「文体は顔のようなものだ」という意味をわかっていただけるのではないかと思います。

文体づくり

■「散文性」と「詩性」

ところで、文体というものはどこから生まれてくるのでしょう。それは書き手の個性から生まれてくるには違いないのですが、言葉のどういう機能から生まれてくるのか、ということもちょっと考えてみたいと思います。私は言語学者ではないので、これはほんの素人考えの域を出ませんが、私は、**言葉というものには「情報」機能と「感覚」機能とが合わせ備わっている**のではないか、と思います。例えば、「あかり」は「何かを燃したりして辺りを明るくするもの」という情報を伝える機能を持つ言葉ですが、同じ情報を伝える言葉は、他にも「ともしび」とか「灯火（とうか）」とか「灯（ひ）」とか「照明（しょうめい）」とかいろいろあります。それなら、どの言葉を使っても結果は同じか、といえば、たしかにその言葉によって伝えられる「情報」は全部同じですが、伝えられる「感覚」は、一つ一つ違います。「黄昏（たそがれ）の灯（ともしび）は　ほのかに点りて」とは昔の歌謡曲（「山小舎（やまごや）の灯」米山正夫作詞）の一節ですが、これと「あかりをつ

けましょ　ぼんぼりに」という童謡（「うれしいひなまつり」サトウハチロー作詞）とを比べて、例えば、これを「黄昏のあかりは」「ともしびをつけましょ　ぼんぼりに」としたら、情報としては同じでも、感覚としては、まるで別のものになってしまいます。

そして、言葉の二つの機能のうち、もっぱら**「情報」機能をメインとする文章を「散文」と呼び、「感覚」機能をメインとする文章を「詩」と呼ぶ**のではないか、と思います。

もちろん、どんな散文にも純粋に情報しか伝えないものはありませんし、どんな詩にも感覚しか伝えないものはありません。散文にもいくばくかの感覚的要素は含まれているし、詩も言葉を使う以上はそれなりの情報は伴います。いま、仮に一つのラインの一端に、いわば究極の散文を置き、他の一端に究極の詩を置いたとしたら、その両端の間のライン上にすべての文章は並ぶことになるでしょう。そして、その一端に近い位置にある文章は散文性の強いものになり、他の一端に近い位置にある文章は詩的要素の強いものになるわけです。

小説の文章というものも、こうした究極の散文から究極の詩までの間のラインの上のどこかしらに位置するわけですが、それぞれの書き手の個性によって、そのライン上の位置が違ってくるわけで、その位置の違いが、それぞれの文体の違いになるのだ、と思うのです。

■「作る」

私が文学というものに目覚めた頃……つまり一九五〇年代は、思い返せば文体というものが何よりも尊重される、という文学的風潮が強かった時代のような気がします。文学とは文体のことだ、といった雰囲気でした。大袈裟に言えば文体さえちゃんとしていれば内容は二の次だ、と言わんばかりの論調が多かった。ある作品が「文学」であるか「読み物」であるかは、作者が自分の文体を持っていて、その文体で書かれているか否かで決まる、とされていた、と言っても過言ではないでしょう。少なくとも、その作者に固有の文体で書かれていることが、その作品が鑑賞に値すると認められる必要最低条件でした。たとえその作品が匿名で発表されたとしても、作品の中の任意の一行を読めばたちどころに作者が誰かわかるようでなければ、その人の文体とは言えない、とされていました。

そんなわけで、当時、文学に目覚めた人間がまず最初にしなければならなかったのは、自分の文体を作ることでした。

もしかしたら、それはいささか主客転倒の趣さえあったのかもしれません。何故なら、自分独自の文体というものは、その作者の文学世界が次第に確立され、成熟して行く結果として形成されて行くものなのかもしれないのですから。ともあれ、当時の文学青年は、何よりも先に、自分の文体を作ることに憂き身を窶したものです。

その過程でというか、その第一段階でというか、とにかく当時、自分と同じような初心者の作品を読むと、その作者が既成作家の誰に心酔しているか大抵わかってしまったものです。つまり初心者の文体はおおむね既成作家の誰かとそっくりだったからです。

それは一つには、既成作家の文体は一人一人はっきり見分けがつくほど違っていて、そこには普遍的な名文などという概念が入り込む余地がなく、従って、もし初心者が文章修業に励もうと思えば、誰かしら特定の作家の個性的な文体の真似をするしかなかった、ということでもあったのでしょう。

しかし同時に、文体が既成作家の誰かに似ているということは、それだけでもう、作品の内容がいかに優れていようとも、イミテーションとして軽んじられることでもあったのです。

私たち当時の初心者たちにとっては、自分の文体は、意識的に努力して作らなければならないものでした。実際、独自の文体というものは、無意識に書いていれば自然に身に付いて来るか、というと、必ずしもそうではないような気がします。それはかなり「意識的」な努力を要するものだ、と私の経験からは言えそうです。もちろんそういう意識的な努力はある意味では不自然なものですから、その結果出来た文体は必ずしも当人に最適とは限らず、

「独自」で、また「客観的にも優れ」、しかも「作者にいちばん相応しい」文体を見つけ出すためには、根気よく繰り返されるトライ・アンド・エラーが必要なのは致し方ありません。でも、とにかく、それにはまず「人とは違う自分だけの文体を作ろう」という、明確で意識的な努力が最初に必要だと思います。それは「出来る」ものではなく、「作る」ものだという気がします。

現在文学を志す人々、あるいは現在現場で文学を担っている人々にとって、文体というものが意識の上でどのくらいのウエートを占めているのか、私にははっきり把握出来ません。もしかしたら、私が初心者だった頃と大差はないのかもしれません。

ただ、今の私に感じられるのは、文芸誌上でも現在は当時よりも文体に対する言及が少なくなっているように思える、ということです。また、いわゆる純文学と読み物小説との境目がはっきりしなくなった時期と、文体論議が文芸誌上であまり見掛けられなくなった時期とが、どうやらちょうど重なるような気もします。

題名

題名の付け方も、人によっては、簡潔で短いものがいい、と言うし、いや最近は長いのが流行りだ、とか、作品の内容を一言で言い尽くすものがいい、とか、いや不即不離のほうがいい、とか、具体性のある言葉がいい、とか、いや抽象的なほうがいい、とか各人各様です。要は書き手の個性の表現ということになるのでしょう。その点、これは文体についての考えかたと、いろいろ共通なものがあるような気がします。

私には私の題名の付け方についての好みはありますが、しかしそれはとうてい万人に通用するようなものではありません。

ただ言えることは、構想の段階や、書き始めてすぐ題名が思い付いた作品は、概して出来栄えがよく、しかも題名そのものもなかなかいい場合が多いような気がする、ということです。それに反して、書き始めの頃までにぴったりした題名が浮かばない時には、えてして最後まで思い浮かばないことが多く、作品が出来上がってから付けた題名は、たいてい書き手自身にもなんとなく気に入らないまま発表に至ってしまう、ということが多いようです。もしかすると、早々と題名が付く、というのは、書き手の頭の中でその作品がよくこなれていて、全体のイメージがまとまった形で書き手自身によって捉えられていることを意味するのかもしれません。してみると、最後まで題名が付かない時というのは、作品の内容が作者自身の頭の中で完全にはまとまりきれていない、ということを意味するのでしょうか。

その意味では、題名とは、一行詩の一種なのかもしれません。

9

神様が降りてくる

発見としての創作

「意図」と「結果」

■暗算と違う答え

本書の「小説の構造」篇と「フィクション」篇で述べたように、小説の設定段階では書き手の着想力によってシーンが書き溜められ、その並べ換えなどによって設定が形成され、その展開部分では、その設定から必然的に起こる推移を書き手の類推力によって探って行くことになります。

その際、肝心なことは、そうした並べ換えや、類推力による小説の展開によって、作品が次第に、最初の作者の意図を超えて変質して行くことがある、ということです。それは、いわば、立派な法律家にしようと育てていたわが子が、立派な医学者に育ってしまうことがあったりするのと似たようなものかもしれません。

また第四章「人間像」篇でも、小説の中の人間像はストーリーに従属し奉仕するだけのものではなく、むしろ作者が初め予定していたストーリーに逆らい、ストーリーを改変して、作者の思いもかけない方向へと作品をいざなって行くことがある、と述べました。

第五章「ディテール」篇でも、小説の細部は全体を支えるだけのものではなく、場合によっては細部がその小説の意味を超え、その主題を包み隠してしまうものでなければならない、とも述べました。

もしも、常に意図と結果とが全く同じだったら……つまり作品が、初め作者が書きたいと思い描いた通りの内容に書き上がったとしたら、それは（「シーンと配列」篇に挙げた譬え話になぞらえて言えば）暗算でちゃんと出てしまった答えと、全く同じ答えを筆算で出したようなものでしょう。そんな場合は、出来栄えが良ければ確かに読者にはそれなりに得るところがあるでしょう。しかし、作者自身にとっては、書く前に得た人生上の何かしらの発見以外には、書くことによって何一つ新発見が付け加わらなかった、という意味では、書いた意味が無かったことになります。創作が一種の人生の追体験であり、生の追求のための実験であるとすれば、この場合は作者の追体験、作者の実験は、意図し構想を練った時点でもう終わってしまっていて、わざわざ書く意味はない、ということになります。しかし、執筆というものは、そんなに味気無い、ただの機械的な作業でしか有り得ないのでしょうか。

予期せぬものを待つ

作者が、何かを創作しようと意図するのは、彼が何かしら人間についての発見をしたと感じた際でしょう。そして、その発見を作品の中で確認しようとして創作作業をするわけですが、その**確認作業そのものが、確認を超えて再発見を作者に促す……それこそが、真の意味での創作作業だ、**ということを私は言いたいのです。

そして、創作作業の中でそうした再発見をもたらすものこそ、再構成作業や類推作業なのではあるまいか、と思うのです。

そういった作業の最中に、突然、作者にも思いもかけなかったシーンとか、プロットの展開とか、作品の孕む新しい可能性とかが生まれて来ることがあるのです。それは書き出す前に内容について空想力を働かせている段階では決して思い付かないような種類の発見なのです。

その際いちばん大切なのは、そのような新発見による作品内容の新しい飛躍、変質を、虚心に受け入れられる柔軟さを作者が持てるか否か、ということです。多くの場合、作者は最初の意図に固執し、せっかく作品が自分で動き始めようとしているのに、何がなんでも自分の意図の方へ作品を引き戻そうとするものです。

実生活でも予期した通りの体験をした時よりも、思いがけぬハプニングがあったほうが貴重な人生の発見が出来る場合があります。

作者の予期に反した方向へ作品が自ずと動いて行く場合もそれと同じ事なのです。「予期せぬものを待つ心掛けが肝心」と作家、モンテルランも言ったそうですが、小説の場合、その心掛けが肝心です。

■「発見……構成」の繰り返し

ところでもう一つ肝心なのは、そのようにして何か新しい、予期せぬ「新局面」が創作途上に生まれた時、それを虚心に受容することで、今まで必要だったシーンがむしろ邪魔になったり、逆に今まで不要だったシーンが新たに必要になったりする、ということです。つまり、作品の変質によって、その構成も変質せざるを得ない、ということです。

そして、そのようにして当初の意図に無かったシーンを必要に応じて作り出すことによって、作者はまたもや予期せぬ再発見をする。そして、その再発見は、またもや作品の再構成を要求しだす。こうした**再発見と再構成との追いかけっこ**によって、一つの作品は内的に進化して行く。

　つまり、構成というものは、決して固定したものではなく、何度も組み立て直し、その都度新たに不要になったシーンを除き、必要になったシーンを補ってゆかねばなりません。場合によっては最初の意図では最も肝心な、いちばん書きたかったシーンが、最後には邪魔になって削らねばならなくなることもあります。

　ところが、おおかたの作者にとっては、一度書いたシーンはたいへん削りにくいものです。せっかく創作途上で再発見がなされ、作品が変質した……つまり脱け替わったというのに、以前の「脱け殻」があちこちにぶら下がったままの作品を見掛けることがよくあります。

■人生の実験

　小説を書くということは、書くことで人生のある局面を作者が読者とともに想像の中で体験してみる、という意味では、一つの厳密な実験です。実験には、それぞれになにかしらテーマがあります。小説という実験にもそれぞれ「関心の焦点」とでもいうものがあり、それはこれこれの人物がこれこれの状況の中ではどう感じどう行動するだろう、とか、あの時もしこんな状況だったとしたら自分はどうしただろう、とかいった関心から始まるわけで、それが作品のモチーフと言われるものでしょう。そして、そういうものの追求のための「装置」が、小説というものだと言えるのでしょう。

一人の人間の限られた人生の中で、あらゆる生き方や体験を味わい、その中から人間に対する発見をすることは出来ません。それを想像力の力で代行して行くのが小説を書くという作業でしょう。

また、実人生では、一つの体験は多くの設定や人物の絡み合いの中で行われますから、なかなか純粋な形では観察出来ません。その中から自分の追求したい問題に有効な設定や人物だけを残して、他を削り、追体験してみることが出来るのも、小説の効用でしょう。それは例えば自然状態の中では沢山の雑菌の中に紛(まぎ)れているある菌を、一つだけ取り出して実験室で純粋培養してみる場合と似ています。

■「建物」と「足場」

小説を書いている時、作者がいちばん駆られ易い誘惑は、自分がその作品で追求しているテーマとか、作者の思想とか、モチーフなど……つまり作者の意図を、作中のどこかで一言ことわっておきたくなる、ということです。

テーマとか思想とかモチーフとかは、小説をつくるためには絶対必要で、それがなければ作者にとってその作品を書く意味がないし、そもそも書きたい気持ちが湧かないでしょう。つまりそれがなければ小説そのものが成り立ちません。

しかし、「それがなければ小説が成り立たない」ということと「それが小説の中に書き込まれる」ということとはまた別の問題です。

「小説」と「作者の意図」との関係は、「建築」と建築現場の「足場」との関係に似ているような気がします。

ブロックやレンガを積み上げて建物を築くには、足場が絶対に必要です。それなしでは建物そのものが成り立ちません。しかし、その建築が完成したあかつきには、足場はすべて取り払われ、人目に触れることはありません。もしも完成の後にも足場を残さねばならず、それ無しでは建物が自立できないとしたら、その建物は欠陥建築です。

小説の場合も同じではないでしょうか。小説の成立には絶対不可欠なテーマや思想やモチーフが、もしも小説自体のなかに改めて書き込まれなければならず、そうしない限り小説として成り立たないとしたら、その小説は、足場を取り外したら崩れ落ちてしまう建物と同じような欠陥作品ということになりませんか。

出来上がった建物が固有であるためには足場が固有でなければなりません。逆に、出来上がった建物そのものを見れば、そのための足場がどのように組まれていたかは一目瞭然でしょう。同じように、出来上がった小説がちゃんとした作品である限りは、作者の意図を作品の中にわざわざ書き残しておかなくても、読者にはちゃんと伝わるはずです。

それだけではありません。建物の完成後も取り外されないままの足場があったとしたら、その足場は建物の美観も損ねるし、建物の多様な使用を妨げる邪魔な存在にもなるでしょう。同様に小説の場合にも、作中にわざわざ書き込まれた「作者の意図」は読者の多様な鑑賞の妨げにもなるし、作品自体の自家増殖的な展開も遮(さえぎ)ってしまいます。

「作者」と「作品」

■作者は奴隷

「作者の思いがけないことが起こるものこそ、ほんとうの『創作』である」とは河合隼雄の文章の一節です。

池内紀の「どこへ行くのか定まっているのが読み物だとすると、どこへ行くのかわからないのが文学である」という言葉も、同じ意味でしょう。

岡本かの子も「観念が思想に悪いように、予定は芸術に悪い。〔……〕それは恋愛によく似ている。」(「河明り」)と述べています。もっとも、予定は悪い、といっても、初めから何一つ予定を立てずに小説を書き始めることは不可能です。ですから、この言葉は、「初めの予定に最後まで固執するのが悪い」という意味でしょう。最初から最後まできっちり予定をたてて、その通りに進行させて行く恋愛なんて、考えるだけでもゾッとしますが、それと同じだということでしょう。

「創作」という言葉からは、作者が自分の空想の赴くままに、作中人物やストーリーを、自由に操るものだ、といったイメージを持たれる人も多いと思います。しかし私の考えている創作の概念はそれとは違うということはわかって頂けたかと思います。

「**作者は作品の奴隷だ**」という言葉があります。ストーリーの進行の過程で、作者がいくら主人公に死んでもらいたくても、一向に死んでくれなかったり、二人の男女に幾ら結ばれてもらいたいと作者が思っても、どうしても結ばれてくれない。逆にいくら喧嘩別れさせたくても、別れてくれない、といった事態が生じることがあります。つまり、主人公が作者の意図に従う奴隷なのではなく、逆に、作者が主人公が主人公らしく生きることに奉仕する奴隷だ、というわけです。

創作とは、これこれこうした状況の進行のなかで、こうした人物はどうするか、という分かれ道を、その都度、こんな振る舞いはこのような人間には心理的に有り得るか否か、とか、こんな状況でそんなことは物理的に可能か否か、とか検討しながら、不自然な方の道を捨て、必然の一筋の道を辿ることを繰り返して、ゴールまでたどり着く作業なのだ、ということです。

そうした作業の過程で、初めの構想では、こうしたいと作者が思っていた方向が、書き込んで行くにつれてどうしても不自然になったり、不可能になったりしてくる、ということが、場合によっては起こって来ます。こうして、作品はいつしか作者の構想を離れて、作者の意図しない、思いもかけない展開を始めることがあります。

■「必然性」と「個性」

しかし、もし創作がそういうものだとしたら、つまり「作者は作品の奴隷だ」としたら、作者の才能とか経験とか想像力とかは、それにどういうふうに関与して行くのか？

ある設定のもとでの小説の進行が、その状況と人間性との関係の中での「必然」を探ることなら、唯一の必然は誰が探っても同じになるはずで、作者の才能とか個性の出る幕はないじゃないか、という疑問が生まれるのは当然でしょう。

それについては、私はこう考えます。ある状況である人間が直面する分かれ道が、普通に考えると、二者択一しかないと思われた場合でも、想像力の豊かな作者とか、あるいは人生経験の豊かな作者にとっては、二者ではなく第三、第四の道も思い付ける、ということは有り得ます。

一例として、主人公がそのシーンでは普通、泣くか怒るか、どちらかしかないと思われたのに、作者によっては、主人公が笑うことも有り得るのではないか、と思い付くかもしれません。しかし、そう思い付いても、直ち（ただ）に主人公を笑わせることが出来るとは限りません。その思い付きが無理ではないか、この主人公には有り得ないことではないか、と入念に検討を重ねる必要があります。つまり、新しい飛躍した思い付きがいかに魅力的だからといって、直ちに作者はそれに飛び付けるわけではないのです。その意味でやはり作者は作品の奴隷であり、作中人物の奴隷です。しかし、少なくともその場合、二者択一ではなく、もっと多くの選択肢を、想像力や人生経験の豊かな作者は持てる、ということになります。

そして、例えば、そのシーンで、主人公が泣くか怒るかする代わりに笑うことが不自然でなかったとしたら、その後のストーリーの進行は、当初の想定とはだいぶ違った方向へと展開していくことになるでしょう。

■発見のための方法

では、どうして作者はそんな作業をしなければならないのか。

「書くことは私にとっては人生を理解する方法である」（ナディン・ゴーディマ）

「自分の信念にゆさぶりをかけるために書く」（遠藤周作）

「重要なことは、物語を『発明』することではなく、そこに世界や人間を『発見』するこ

とだろう」(平田オリザ)

総じて、小説とは、作者がこれまで生きて来た行程で獲得した信念とか人間観とか人生の真理とかを、読者に向かって提示するものだ、と思われがちかもしれません。だが、ここに引用した言葉は、それとは正反対のことを述べています。**創作とは、今まで作者が獲得したものを吐き出した結果なのではなく、創作それ自体が、作者が新しく何かを獲得する方法**なのです。

「**自分の信念にゆさぶりをかけるために書く**」とは、つまり、作者が人生の体験や思索から、いちばん正しいと信じるようになったことを、そのまま、「これが正しい」と読者に向かって主張するために小説を書くのではなく、逆に、その信念に最も都合の悪い設定を作中にしつらえて、その中で、作者と同じ信念を持つ主人公を行動させ、そうすることで、その信念が本当に正しいのかどうか、主人公が最後までその信念を持ちこたえることができるのかどうか、を検証してみる、という作業のことでしょう。

そうすることで、自分の信念の欠陥を自分で発見する場合もあるでしょうし、逆に自分の信念がそれによってますます鍛(きた)えられ、どのような批判にも、どのような困難にも耐えられる強さを持つことになる場合もあるでしょう。

■ドストエフスキーの例

例えば、ドストエフスキーは、熱心なキリスト教徒でしたが、信仰や神の問題を作中で扱う時には、常に、「罪と罰」のラスコーリニコフとか、「カラマーゾフの兄弟」のイワンとか、「悪霊」のスタヴローギンとかいった、優れた、そして魅力的な無神論者を必ず登場させます。しかも、そんな人物たちのほうが、作者の信仰を作中で担っていると思われる人物たち（例えば「罪と罰」のソーニャとか、「カラマーゾフの兄弟」のアリョーシャとか）よりも、ずっと重厚な存在感を持ち、ずっと思索の深さと人間的魅力を感じさせるほど見事に造型されているのです。これこそはまさに「自分の信念にゆさぶりをかけるために書く」ことの典型でしょう。もし、ドストエフスキーが自分の信念に都合のいい人物たちだけしか作中に登場させなかったとしたら、確かにそれは自分の信念の「説明」には最適な方法ですが、しかし、それでは、書くことによって、作者はなにひとつ変わることはなく、彼の信念は傷つかない代わりに書く前と何一つ変わらぬままで、深まりもせず、磨かれもしなかったことでしょう。

こうしてドストエフスキーの作品は、信仰の書として読むことも出来ると同時に、無神論の書としても読むことが出来るものとなりました。名作とは、なにかしらこうした二重性を持っているものだ、とは前にも述べました。

かくして、ある場合には、信仰を意図して書かれた小説が作者にとっては心ならずも無神論小説になり、無神論を意図して書かれた小説が心ならずも信仰小説になり、革命小説は心ならずも反革命小説になり、反革命小説は心ならずも革命小説になる——そういうものこそ、真の創作と言えるものではないでしょうか。

つまり、小説を書く、ということは、作者のこれまでの人生体験で得たものを開示してみせる作業、というよりは、実人生では体験出来なかった、あるいは体験し足りなかった、新しいもう一つの人生を、書くという作業によって体験することなのだ、ということです。つまり、紙の上で、実人生とは違うもう一つの人生を生きてみる、という言い方も出来るし、または、紙の上で、ある新しい人生体験のシミュレーションを、作者の想像力を駆使して行うものだ、とも言えるでしょう。

■神様が降りてくる

ただ、残念なことには、私が主張するような、こうした小説の書き方は、常に可能だというわけではありません。むしろ、実際に小説を書く時には、こういうふうな書き方が出来なかった場合のほうが大部分なのです。それは、私は勿論のこと、優れた作家の場合でもそうだろうと思います。実際には、作者の最初の意図の通りに、最後までそのまま進行してしまう、という場合の方が普通です。ただ、時偶、作品が作者の意図を超えて、思いもかけない展開を示し、思いもかけない結末を迎えるような書き方が出来る場合がある、ということです。それを、私は勝手に「**小説の神様が降りてきた**」と表現していますが、世に言う秀作とか名作とかは、そんな生まれかたをした作品なのでしょう。残念ながら、私に降りてきてくれるのはだいぶ小さな神様なので、なかなかそこまではたどりつけませんが。

つまり「神様が降りてくる」ようなチャンスは、そうしょっちゅうあるわけではないのですが、しかし、そんなチャンスに恵まれた場合には、是非それを生かしたいものです。しかし、それは意外に難しい。つまり、前述のように人はどうしても自分の最初の意図に固執しがちなものであって、せっかく神様が降りて来たのに、神様より自分を優先しがちです。

これは、ストーリーに限った話ではなくて、小説を書いて行くうちに、その中から、最初には思いもよらなかった新しいテーマが浮かび上がって来る場合があります。そんな時でもやはり、初めに定めたテーマに固執して、せっかく発見出来た新しいテーマを異物として除いてしまうとしたら、それもやはり神様より自分を優先することになるでしょう。だからといって、そんな場合新旧のテーマをそのまま混在させておけばいい、というものではなく、新しいテーマに則して、作品全体を再構成し、根本的に書き改める必要があるのはこれも前述しました。

小説作法、というと、能率的に小説を生産する方法、といったようなイメージを抱かれる方も居られるかもしれませんが、じつは、私の意図は、このように、たいへんに非能率的な小説の作り方へのお勧めなのです。

作者と読者の間には

読者の存在

読者は向こうを向いている

「作者と読者の間には、深くて暗い河がある。誰も渡れぬ河なれど、エンヤコラ今夜も舟を出す」というのが創作活動というものではないでしょうか。

誰しも、学校時代に作文というものを書かされた覚えがあるでしょう。あの作文と、小説とを比べてみましょう。作文の場合は、その違いはさまざまありますが、一番の違いは読者の違いだろうと私は思います。作文の場合は、読者は一次的には担任の先生です。（二次的には級友や家族などの場合もありますが。）先生という読者の特性は二つあります。一つは、先生は初めからその作文へ気持ちを向けていて、必ず読む気になっていることです。もう一つは、はっきりとナニナニ先生と特定出来る読者だということです。

ところが、小説の読者は、初めは向こうを向いている。作文の先生は面白かろうがつまらなかろうが必ず読んでくれますが、小説の読者は、面白かったら読んでやろう、つまらなかったら最初のページでやめちゃうよ、というのが普通です。

日常生活でも、こちらが話しかけようとする相手が向こうを向いていたら、名前を呼ぶとか肩をたたくとかして、まずこっちを向かせるでしょう。さもなければ「ワッ」と脅（おど）かすとか石をぶつけるとか、いろいろ方法はありますが、とにかく、相手をこっちへ向かせることからすべては始まるわけです。それで初めて対話が成立するのです。

小説というものは、読者との対話ですから、読者がこっちを向いてくれなければ、はじまらない。これは、純文学だとか通俗だとかの違いではないんです。どんなに立派で高尚なことを言っても、相手が向こうを向いていたら、なんの意味もないでしょう。それと同じです。とにかく、小説は、まず読者をこっちに向かせることから始めなければならない。それが作文との最大の違いでしょう。

■「不特定多数」への恐怖

作文の読者は担任の先生という特定の存在です。それにひきかえ小説の読者は不特定多数です。ということも、考えてみると、たいへん恐ろしいことなんですね。不特定多数の中には、ありとあらゆる専門家が含まれているわけですから。専門家というものは、なぜか自分の専門のことになると、そこの所ばかり非常に詳しく読む性質を持っています。例えば小説の中に、場合によっては虫歯のことなんかも入れざるを得ないでしょう。歯医者さんは、その所ばかり詳しく読みます。庭木のことが出てくれば、植木屋さんが詳しく読む。薬が出て来れば薬屋さんが詳しく読む。魚のことを書けば魚屋さんが目を皿のようにして読む。作者は、ありとあらゆる専門家の前に裸で晒(さら)されている。そういう非常に恐ろしいことをわれわれはやっている。その怖さをいつも肝に銘じていなければなりません。

ところが、書き手のうちには、自分の作品の登場人物を、例えば「カッコイイから」というだけの理由で、心臓手術の名手である外科医とか、高名な服飾デザイナーとかに、安易に造形なさる方がいます。そんな方は、自分の造形した人物が、読者の中の外科医やデザイナーの鑑賞に、果して堪えられるかどうか、よくよくご検討になってみてください。

■「作者の関心」を「読者の関心」へ

誰の書いた小説でも、その内容が作者にとって興味深いものであり、貴重なものであることは言うまでもありません。そうでなかったら、そもそもそれを作者が書いたはずがありませんから。つまり、どんな小説でも、それは作者にとって貴重である、というのが出発点なのは当然です。しかし、出発点はそのままゴールではない。**作者に貴重なものは、そのまま読者にも貴重とは限らない、**ということです。これは言い換えれば、**主観的に貴重なものが、そのまま客観的に貴重とは限らない、**とも言えます。

人間というものは、えてして自分が関心があるものは誰でも関心がある、と無意識に決め込んでしまいがちですが、必ずしもそんな訳にはいかないことは、例えばあなたの虫歯が痛い時は、それ以外のことに関心が向かない程あなたの全関心は虫歯に集中するでしょうが、しかし、赤の他人の虫歯には、あなたはそれ程の関心は引かれないでしょう。なにごともそれと同じで、小説の場合でも、出発点では作者の関心と読者の関心とは一致しないのが普通だと思ったほうがいい。

そこから出発して、いかにしたら作者と読者とが関心を共有出来るようになるか、ということが、創作というものの課題です。

■「作者からの距離」と「読者からの距離」

作者と読者とが関心を共有するということは、言い換えれば「作者から、書かれている対象まで」の距離と「読者から、読まれている対象まで」の距離とが等しくなるということです。

私はよく後輩に「**わが子とペットと道楽は書くな**」とアドバイスするのですが、これは「書いちゃいけない」という意味ではなくて「書くのは難しいから、よほどの苦労を覚悟して書け」ということなんです。例えば親は自分の赤ん坊がすごくかわいい。もう何から何まで興味がある。ウンチにまで興味がある。しかし他の人は、赤の他人の子供のウンチなんかには何の興味もありません。この落差は大きい。ペットもそうですね。ネコッカワイガリ、という言葉がありますが、自分の飼っているネコのことばかり喋っているお婆さん、なんてよくいますよね。聞いている方はうんざりしてしまう。道楽もそうですね。例えば鉄道マニア。あの電車は何型だ、あの客車の編成はどうのこうのと、やたら詳しい。しかし、それは同好の士以外にはなんの意味もない。こんなふうに作者がマニア的にのめりこんでいる趣味や、前述のわが子やペットなどのことを書くのは非常に難しいのです。

なぜ難しいのか、というと、そういうことは、「書く作者から書かれている対象まで」の心理的距離が極端に短い。しかし、普通そういう場合「読む読者から読まれている対象まで」の心理的距離はとくに短くはありません。つまり、書かれていることへの「作者からの距離」と「読者からの距離」が違い過ぎる。これでは作者と読者とは関心を共有出来ません。

では、そんな場合はどうしたらいいのか、といえば、この「作者からの距離」と「読者からの距離」を等しくしてやればいいわけです。それには二つの方法があります。**一つは「作者からの距離」を延ばしてやることです。これは「客観化」と呼ばれます。もう一つは、「読者からの距離」を縮めてやることです。これは「普遍化」と呼ばれますね。**

例えば、ネコッカワイガリじゃなくて、ウチのネコは泥棒猫の傾向があるとか、ウチの赤ん坊は器量が良くないとか、そういった欠点をも含めていわば他人の目で見直す――これが客観化でしょう。また、ウチの赤ん坊、ウチのネコをきっかけにして、なにかしらヨソの赤ん坊、ヨソのネコにも通用するようなところを発見してゆく――これが普遍化でしょう。この二つの操作がうまくゆくと、対象までの作者からの距離と読者からの距離とが等しくなって、はじめて作者と読者とが関心を共有でき、読者は作者の方を向いてくれるのです。

■読者の同心円

作者を円の中心とする幾つかの読者の同心円を、どうぞイメージして下さい。そのいちばん内側の円の中には、作者の身内など、とても身近な読者が位置します。この読者は、作者と共通の情報を大いに分かち持っていますので、作者は作中でいちいち説明しないでも、ツーと言えばカー、といったふうに理解してもらえ、叙述や描写を随分省略できます。

そのすぐ外側の円の中に存在するのは、作者と同じ地域や同じ学校、同じ職場などに属する読者です。これも、身内ほどではないにしても、例えば「○○池」とか「××ちゃん」といったふうに固有名詞を記しただけで、たちどころにその風景や風貌が思い浮かぶ、といったふうに、作者がいちいち描写を書き加えなくても済む部分が随分あるはずです。

　そしてその外側に位置するのは、作者と同じ地方の出身とか、同じ世代に属するとかいった読者です。これもまた、もっと内側の円に含まれる読者には敵（かな）わないが、作者としては、かなり記述を省略しても理解してもらえる読者でしょう。

　こうして、同心円が中心から離れるにつれて、そこに含まれる読者には、作者と共有する情報が少なくなり、そして、その一番外側の円の、そのまた外側の広がりに、作者にとっては赤の他人である一般読者が存在するのです。

　ですから、作者がそういった読者のうちの、どの部分を対象にして書くか、ということで、小説の書き方が違ってくるのは当然です。身内にだけ読ませるつもりの作品とか、地域誌に発表する作品などに、あまりくだくだと説明を加えると、読者には、わかりきったことを、とうんざりされてしまいます。逆に、そういった特定の読者向きに書かれた作品をそのまま赤の他人に読ませたら、今度は、なんだかさっぱりわからない、と苦情が出ることでしょう。

　ところで、一般に小説というものは、特定の例外を除けば、こうした読者の同心円のいちばん外側の「赤の他人」を対象にして書くものだ、ということをはっきり意識しておく事が必要だと思います。

　というのは、人は往々にして、自分の知っていることは読者も知っている、と錯覚しがちなものだからです。その結果起こるのが「一人呑み込み」という現象です。自分にはわかりきっている、あるいは仲間内には通用する、といった事例や用語を、つい不用意に作中に導入してしまう。その結果、自分にしか、あるいは仲間内にしかわからない部分が作中に生じてしまう。こういった現象は皆さんの作品の中にしばしば見受けられます。

ですから、繰り返しになりますが、小説を書くときにはいつも、読者の同心円のいちばん外側の赤の他人に向かって書くのだ、という心構えを忘れてはなりません。

●あとがき

お断りしておかなければならないことがあります。それは、小説というものは、本質的には「なんでもあり」の世界だ、ということです。やってはいけないことなど何一つありません。出来上がった作品さえよければ、なにをやってもいいのです。ただしあくまでも、出来上がった作品さえよければ、の話です。

あなたが小説をうまく書けている時には、なにも一々この本の助言通りに書き直す必要はないのです。ただ、どうもうまく書けない時、あるいはどう書いたらいいのかわからない時、あるいはうまく書けたつもりなのに読者の反応がどうもよくない時——そんな時にこの本を参考になさって下さい。

例えばあなたがパソコンをうまく使いこなしておられる間は、マニュアルブックは不要でしょう。でもどうもうまく使えない時、あるいは使い方がわからない時、それとももうワンランク上の使い方をしたい時、初めてそれが必要になるのです。本書も、それと同じような用い方をして頂きたいと思います。つまり、小説に躓いた時、壁を越えられない時の、原因チェック用のマニュアルとでも思って下さい。

ただしここに述べたマニュアル通りに書いただけでは優れた小説にはなりません。しかし、ここに書かれたことがマスターできていないままに、よい作品が書けるはずもありません。基本を超えるには、まず基本をマスターしなければなりません。

また、本書は、「小説の作り方」一本に絞り、例えば文章の善し悪し、描写や形容の仕方、言葉やテニヲハの選び方、原稿用紙の使い方……といったようないわゆる「文章教室」的な部分は、他日に期すことにして一切省きました。

本書は文芸誌『そして』に十回にわたって連載した「小説・私の方法」に加筆して一冊としたものです。なお、本文中の人名の敬称は省略させていただきました。制作にかかわって下さった皆様、文中に引用した各作品の作者にお礼を申し上げます。

二〇〇一年一月

付記（増補新版刊行に際して）

本書の元になる本が出版されてから、ちょうど十五年目になります。この度この増補新版が出ることになったきっかけは、横浜文学学校の受講者で二〇一六年上半期の芥川賞受賞者の村田沙耶香さんが、受賞の言葉その他でこの本について度々言及して下さったことが大きかったのですが、実はこの「元本」を発行してくれた「そして企画」の代表で第七十五回文學界新人賞受賞者の伏本和代さんもまた、横浜文学学校の受講者でした。いわばこの本は横浜文学学校の二人の「孝行娘」によって一度ならず二度までも世に出ることになったのです。不肖の先達として、冥利に尽きる思いです。

ところで私は、本書で「事実の落とし穴」として、書き手が慣れ過ぎている事実への、うっかりミスに言及しましたが、その当人が、本書の中で、まさにそんなミスを度々犯していることに、後で気付きました。この十五年の間に気が付いた、そんな書き落としの幾つかを、この機会に補足しておきたいと思います。

■「ルール」と「マニュアル」

この本は**ルールブック**ではありません。**マニュアル本**です。

そんなことは断るまでもないと思っていたのですが、ある読者から「私はファーストシーンからでないと書けないのですが、いけないのですか?」と質問されたことがあって、あっと気が付きました、ここに書かれていることが小説書きのルールだと誤解する方も居られるようだと。

野球に譬えると、フライをキャッチすればアウト、というのは「ルール」ですが、犠牲フライで三塁ランナーをホームインさせるのは「マニュアル」です。ホームランを打てる人が犠牲フライを打つ必要が無いように、ファーストシーンから書ける人が、わざわざ途中から書く必要はないのです。「あとがき」でも言及していますが、普通の書き方の出来る人が、わざわざ本書から学ぶ必要はないのです。

■「三大誤魔化し」

私は常々、**「粗筋会話」「贋シーン」「手抜き回想」**を、小説作りの**三大誤魔化し**と称しています。

「粗筋会話」とは、小説の中の、本来は描写で描くべきシーンを、登場人物の会話の形で要約して読者に伝えてしまうやり口のことです。例えば、ヒロインが朝ご飯を食べながら、愛人に、前の恋人との別れの経緯などを縷縷語って聞かせる、といったような会話です。

「贋シーン」とは、確かにシーンとしては特定の時と所と人によって作り上げられているのだが、そのシーンの中では特に何の出来事も起こらず、書き手の意図は、そのシーンの中で登場人物に、思索したり回想したり想像したりさせたい事物の方にある、といった場合です。例えば、主人公が駅からの帰路、夜道を辿りながら自分の前半生を回顧する、といったシーンです。この部分のメインはその回顧部分にあって、小説的現在の夜道では別に何の出来事もなく主人公は無事に自宅に辿り着きます。

「手抜き回想」とは、それぞれのシーンは、本来は時間順に並べ換えるべきなのに、書き手が自分の書いた順のまま、時間順が前後するシーンは、さっさと回想シーンとして処理してしまう場合のことです。そんな場合、回想シーンの中のヒロインが、またその前のことを回想したり、甚だしくは回想の中の回想でまたその前を回想したりすることになったりします。私はこういう現象を**「回想のマトリョーシカ」**と呼んでいます。

これらは煎(せん)じ詰めれば「会話だってシーンの一部だ」とか「特定のTPOの中での思索はシーンだ」とか「回想だってシーンだ」といったような口実で、粗筋や、抽象的思念や、構成の手抜きを、いかにもシーンらしく装う、苦肉の策なのですが、しかし、これらはいずれも、「小説の細胞はシーンである」という原則をまるで「ルール」のように捉えて、ルールに違反せずに手抜きしたいと望むからではないでしょうか。でも前述したように、この書で私の説こうとしているのは「マニュアル」なので、なにも誤魔化してまでそれに合わせようとする必要はないのです。

ところで、マニュアルがマニュアルであるからには、そのマニュアルの誤魔化しだってルール違反ではありません。矛盾するような言い方になりますが、「粗筋会話」も「贋シーン」も、書き手が、この場合これ以外にいいアイデアがないと思って意識して用いたのなら、そしてそれでいい効果があがったのなら、OKなのです。「手抜き回想」のほうは、どうも頂けないが、しかし、これだって意識の流れといったものを描きたくてわざと行う場合も有り得ないことではないでしょう。ともあれ、いずれも結果良ければすべて良しなので、すべては結果次第です。でも、あまり成功した例は見かけませんので、ご留意を。

■「作る」と「書く」

小説の**「作り方」**と**「書き方」**とは違います。そして、この本は、「小説の作り方」へのアドバイス本です。

たいへん真面目で綿密な性格の書き手の習作を創作講座で読ませてもらって、唖然(あぜん)としたことがありました。その作品は全編すべてシーンの描写で成り立っていました。結果的にはそれは、まるで前衛的な実験作かと見まがうばかりの、読むに堪えないほど冗漫でまだるっこしい作品になっていました。その時、私は初めて、肝腎な説明をし忘れていたのに気が付きました。この本の中で私は、「小説はシーンで作れ」と述べましたが、その時「それは『作り方』であって、『書き方』はまた別だ」と断るべきなのでした。小説を「作る」ときには、そのすべてをシーンにしてみることはたいへん大事なことですが、「書く」ときには、その中であまり重要でないシーンは「省略」し、またプロットの進行上必要だが、シーン自体はあまり面白くないシーンは「要約」で済まし、作品全体をできるだけ緊密に引き締める必要があります。ただ、それはあくまでも「書き方」の問題で、「作り方」ではないと思います。繰り返しますが、省略も要約も、すべては「作って」からのことです。作ってみて、ここは省略すべきだ、とかここは要約すべきだ、と判断するわけです。

それと、もう一つ、**「スタイル」**の問題です。スタイルには、例えば「主人公の一人称的視線による書き方」や「客観描写体」「説話体」ないし「饒舌（じょうぜつ）体」「書簡体」「日記体」「独白体」あるいは「随想風」や「論説風」といった書き方など、千姿万態があるでしょう。しかし、どんな書き方をするにしても、まず書くべき小説を作らねばなりません。そして、小説を作るには、本書で述べたような作り方が比較的便利なのではないでしょうか。「スタイル」の問題も、小説の作り方ではなくて書き方の問題だと思います。「小説の書き方」については本書とは別に取り上げるべき問題なのだろうと思います。

■言霊

欧米では、「作家」という肩書はあまり尊重されず、その前に「詩人」という肩書が付くと、はじめて丁重（ていちょう）に扱われるようになる、と聞いたことがあります。その真偽はさておき、私にはそれなりに納得のいく挿話に思えます。

私自身は詩は苦手のほうですが、しかし韻文であろうと散文であろうと、言葉を用いる文化では、その真髄は言葉以外にはない、ということは共通でしょう。

小説も、結局のところは言葉で勝負する世界であることは紛れもない。つまり**「美味しい言葉」以外にはご馳走はない**のです。小説でも究極の目的は言葉そのものです。言葉が不味かったら、すべてはご破算です。

これもまた、余りにも当たり前すぎるがゆえに、私は書き落としてしまっているのかも知れません。念のためここに付け加えておきましょう。

■「基本」と「独自」

この本に書かれた内容を完全にマスターしたら、ちゃんとした小説が書ける、と考える方が居られたとしたら、残念ながらそれは誤解です。例えば、お蕎麦作りの基本は「盛り蕎麦」だとよく言われますが、それでは完璧な盛り蕎麦が作れた人は、それだけで「蕎麦職人」と言えるだろうか。一人前の蕎麦職人なら、天婦羅蕎麦も鴨南蛮も作れなければならない。この本の内容がマスター出来たというのはいわば盛り蕎麦がマスター出来たという段階なのです。盛り蕎麦が出来なければ蕎麦職人にはなれないが、盛り蕎麦が出来ただけでは蕎麦職人とは言えない。この本の内容は、いわば作家への出発点、盛り蕎麦段階だと思ってください。勝負が始まるのはここから先なのです。

これは断るまでもないことかも知れませんが、この本の内容は、いわば練習試合用のようなものです。他流試合にはこれだけでは通用しません。他流試合には、なによりもあなただけのもの、あなただけの発見、あなただけの持ち味、あなただけの工夫が無ければ通用しません。(他流試合とはコンクールのことではありません。文芸の世界で通用するか否かの勝負のことです。念の為。)

こんなことを書くと、うんざりして書くのを止めたくなる方が居られるかも知れませんが、しかし、よく言われるでしょう、オセロゲームに比べれば、囲碁はなかなか飽きないのは、囲碁の方が難しいからだ、と。幸いなことに小説書きは一生飽きないで済むほど難しいのですよ。

末筆になりますが、この版の刊行のため、ご尽力頂いた河出書房新社編集部の高木れい子様にも、村田様、伏本様ともども深くお礼申し上げます。

二〇一六年九月

新装版刊行に際して

「何を書くか」が決まっていて、「どう書くか」を思い迷う方のために、お役に立てることがあれば、が、本書の意図です。従って、何を書くかは本書では触れられません。何を書くかを決めるのは、あなたの愛読書を含め、あなたの人生全体から生まれた発見でしょう。それは、あなただけの財産です。出来れば、これだけは書かないと先へ進めない、生きてはいけない、という切実な思いがあれば申し分ないでしょう。

私の貧しい人生体験から得た収穫は、自分の恥を全て丸ごと一つの人生の断片として差し出す覚悟が出来たことでしょう。

あなたの良き発見と、良き描き方を、期待しております。

二〇二四年一月

本書は、二〇一六年一二月に弊社より刊行された増補新版に、
「新装版刊行に際して」を加えたものです。

宮原昭夫
MIYAHARA AKIO
★
一九三二年、神奈川県横浜市生まれ。六六年『石のニンフ達』で文學界新人賞を受賞。七二年『誰かが触った』で芥川賞を受賞。他の著書に、『海のロシナンテ』『さはら丸西へ』『土と火の巫女』『女たちのまつり』『陽炎の巫女たち』などがある。横浜文学学校や朝日カルチャーセンター「小説講座」の講師もつとめ、村田沙耶香らを育てた。

◎主要引用文献

『白痴』ドストエフスキー　木村浩訳　新潮文庫
「死の棘」島尾敏雄『筑摩現代文学大系　78』
「ピロクテテス」ソポクレス　久保正彰訳『筑摩世界文学大系　4』
「我が心は石にあらず」『高橋和巳全集　第六巻』河出書房新社
「やっさもっさ」『獅子文六全集　第六巻』朝日新聞社
「砂の上の植物群」『吉行淳之介全集　第六巻』新潮社
「午後の曳航」三島由紀夫『新潮日本文学　45』

書く人はここで躓く!

作家が明かす小説の「作り方」

★

二〇〇一年 四 月二〇日 初版発行
二〇一六年一二月三〇日 増補新版初版発行
二〇二四年 二 月一八日 新装版初版印刷
二〇二四年 二 月二八日 新装版初版発行

著者★宮原昭夫
装幀★岩瀬聡
発行者★小野寺優
発行所★株式会社河出書房新社
東京都渋谷区千駄ヶ谷二-三二-二
電話★〇三-三四〇四-一二〇一［営業］〇三-三四〇四-八六一一［編集］
https://www.kawade.co.jp/

組版★有限会社中央制作社
印刷★株式会社亨有堂印刷所
製本★小泉製本株式会社

Printed in Japan

ISBN978-4-309-03176-7

嫌いなら呼ぶなよ

綿矢りさ——❖著

「一応、暴力だろ。石でも言葉でも嫌悪でも」。

妻の親友の家に招かれた僕。

だが突然僕の行動をめぐって、ミニ裁判が始まり……

心に潜む〝明るすぎる闇〟に迫る著者新境地！　全四作収録。

消滅世界

村田沙耶香――◆著

人工授精で子供を産むようになった、現代日本のもう一つの世界(パラレルワールド)。

快楽と生殖が分離したそこでは、

「セックス」が、そして「家族」が消えていく……

各紙誌絶賛の衝撃作。